荆楚理工学院 2023 年度教育教学研究重点项目“大中小学思想政治教育文化育人一体化建设研究”(项目编号 JX2023-008)
中华优秀传统文化创造性转化与创新性发展的社会实践路径与机制研究(项目编号:YB202228)

新时代高校校园文化育人研究

别 睿 著

哈尔滨工程大学出版社
Harbin Engineering University Press

内 容 简 介

本书立足教育强国、教育治理现代化，主要研究新时代高校校园文化的育人问题。本研究力求拓展学术界关于高校校园文化及其育人问题，丰富高校校园文化育人的理论和实践对策，以便更好地使新时代高校校园文化育人的理念落到实处。

图书在版编目(CIP)数据

新时代高校校园文化育人研究 / 别睿著. — 哈尔滨：哈尔滨工程大学出版社，2023.11
ISBN 978-7-5661-4155-2

Ⅰ. ①新… Ⅱ. ①别… Ⅲ. ①高等学校-文化素质教育-研究-中国 Ⅳ. ①G640

中国国家版本馆 CIP 数据核字(2023)第 217417 号

新时代高校校园文化育人研究
XINSHIDAI GAOXIAO XIAOYUAN WENHUA YUREN YANJIU

选题策划 张　昕
责任编辑 张　彦　刘思凡
封面设计 李海波

出版发行 哈尔滨工程大学出版社
社　　址 哈尔滨市南岗区南通大街 145 号
邮政编码 150001
发行电话 0451-82519328
传　　真 0451-82519699
经　　销 新华书店
印　　刷 哈尔滨午阳印刷有限公司
开　　本 787 mm×1 092 mm　1/16
印　　张 11.5
字　　数 180 千字
版　　次 2023 年 11 月第 1 版
印　　次 2023 年 11 月第 1 次印刷
书　　号 ISBN 978-7-5661-4155-2
定　　价 58.00 元
http://www.hrbeupress.com
E-mail:heupress@hrbeu.edu.cn

前　言

党的二十大报告提出,推进文化自立自强,铸造就社会主义文化新辉煌。这一战略安排,再次强调了文化的重要性,彰显了文化作为治国理论的重要资源、重要举措的关键性。高校作为治理国家、建设现代化的人才培养重地,开展了丰富多彩的育人活动,是提升人才的创新素质和能力的重要场所。进入中国特色社会主义新时代,教育何以培根铸魂?文化育人无疑是根本之道。这是本书研究的重大时代背景。

校园文化育人在高校已经行进多年,从学术界、理论界到实务界都高度关注,纷纷对之开展探索和研究,力求能够找到更好的育人之法。但是因其往往仅从教育系统论出发开展研究和讨论,没有从国家治理的视角去研究高校治理,因此,高度和境界等还有进一步拓展提升的空间。这是本书研究的重要学术背景。

习近平总书记在党的二十大报告中指出:“教育、科技、人才是全面建设社会主义现代化国家的基础性、战略性支撑。”这一重要论断阐释了新时代实施科教兴国战略、强化现代化建设人才支撑的重大战略意义,明确了建设教育强国、科技强国、人才强国的出发点。教育对现代化建设的支撑,主要是通过高校发挥的作用来体现的。正是由于这样的现代化运行逻辑,教育强国战略得以提出和实施。教育强国战略实施的关键要落实到培养人才,即教育大学生身上。校园文化作为重要的文化资源,蕴含丰富多彩的教育元素,非常值得我们珍惜、珍视。如何发挥校园文化育人的作用,助力教育强国和新时代中国特色社会主义、中华民族伟大复兴,已经成为新时代高校校园文化育人的重要命题和重大课题。这是本书开展研究的第三大时代背景。

面向全球,当今国家之间的竞争除了经济、科技、军事等“硬实力”的竞争外,还有文化、价值观、思维方式、道德、制度等“软实力”的竞争。青年人才是新时代中国特色社会主义的建设者,其文化素质、思想素质、道德素质等方面是关系国家未来、关系国家综合实力的决定性力量。这些都是新时代高校开展校园文化育人必须要面对的全球背景,也是本书开展研究的国际文化竞争背景。

鉴于以上原因,本书立足文化强国、教育强国、教育治理现代化和国际文化竞争,主要研究新时代高校校园文化的育人问题。全书从八个方面开展研究:一是研究高校校园文化与高校校园文化育人的基本理论问题;二是研究加强新时代高校校园文化育人新要求;三是研究高校校园文化育人的历史演变、现状、不足表现及其原因;四是研究以教育的现代化推进高校校园文化育人理念的完善;五是研究以教育的协同协调发展推动高校校园文化育人主体的建设。六是研究以教育治理的专业化、精细化提升高校校园文化育人的内在品质;七是研究以教育治理方式的现代化推动高校校园文化育人的信息化和智能化发展;八是研究以教育法治领域推进高校文化育人法治化运行。

本书通过以上研究,力求拓展学术界关于高校校园文化及其育人问题的研究领域,丰富高校校园文化育人的理论和实践对策,以便更好地使新时代高校校园文化育人的理念落到实处。本书的研究立足高远,着眼现实,具有十分重要的学术意义、理论意义和现实意义。从学术意义上看,本书研究新时代高校校园文化育人是针对学术界研究高校校园文化育人中存在的不足而开展的,能够拓展学术界的研究思路、研究视角和研究空间。从理论意义上看,本书研究过程中会涉及文化强国、教育强国、人才强国、文化竞争以及教育学、文化学等理论的运用和阐释,将会拓展这些理论的运用空间,让其获得更多的现实发展空间和支撑点。从现实意义上看,本书的研究坚持问题导向,理论联系实际,从当前校园文化育人中存在的问题出发,调察问题、分析问题,并从不同角度提出不同的对策和建议,希望能够为当代高校校园文化育人的改革创新、高质量发展提供一定的借鉴和参考。

著　者
2023 年 9 月

目 录

第一章 高校校园文化与高校校园文化育人的基本理论问题研究 ········ 1

第一节 文化的概念、构成与功能 ········ 1

第二节 校园文化的基本概念与基本理论问题 ········ 4

第三节 高校校园文化的基本理论问题研究 ········ 8

第四节 育人、文化育人与高校校园文化育人的基本概念与基本理论问题研究 ········ 11

第二章 加强新时代高校校园文化育人的新要求 ········ 19

第一节 国家文化软实力建设与竞争力提升的推动,需要高校校园文化育人活动的开展 ········ 19

第二节 文化和校园文化本身具有的诸多功能与作用,内在决定开展高校校园文化育人的前提 ········ 25

第三节 大学生全面成长与发展的需求,需要加强校园文化育人活动 ········ 27

第四节 高校育人质量提升和文化育人效果的提升,需要加强校园文化育人活动的开展 ········ 34

第五节 建设教育强国和建设一流大学,需要加强校园文化育人活动 ········ 35

第六节 现代大学文化和校园文化本身的建设发展,需要加强校园文化育人活动 ········ 36

第三章 高校校园文化育人的历史演变、现状、不足表现及其原因 ········ 38

第一节 新中国高校校园文化育人的历史演变 ········ 38

第二节 当下高校校园文化育人的现状调研 ········ 46

第三节　目前高校校园文化育人存在的不足、困难的阐释 ………… 54
第四节　多维度剖析当下高校校园文化育人不足的原因 ………… 56
第四章　以教育的现代化推进新时代高校校园文化育人理念的完善 … 59
第一节　理念、教育理念和教育现代化的基本理论阐释 ………… 59
第二节　建构科学化、制度化的文化育人理念 ………… 64
第三节　建构五大发展理念的新时代文化育人理念 ………… 65
第四节　建构三全育人的校园文化育人理念 ………… 67
第五节　坚持五育并举与融合发展的校园文化育人理念 ………… 71
第六节　全面质量管理理论下的文化育人理念 ………… 79
第五章　以教育的协同协调发展推动高校校园文化育人的主体建设 … 82
第一节　育人主体的基本理论阐释 ………… 82
第二节　协同理论与教育协同的基本理论研究 ………… 84
第三节　加强校园文化育人的教师队伍建设：育人主体能力角度的阐释 ………… 86
第四节　建构校园文化育人教育行动共同体的建设与运行：育人主体结构的阐释 ………… 94
第六章　以教育治理的专业化、精细化提升高校校园文化育人的内在品质 ………… 102
第一节　教育本体的基本理论研究 ………… 102
第二节　新时代高校校园文化育人的专业化发展研究 ………… 103
第三节　新时代高校校园文化育人精细化发展研究 ………… 119
第七章　以教育治理方式的现代化推动高校校园文化育人的信息化与智能化发展 ………… 133
第一节　教育治理方式和平台现代化的基本理论研究 ………… 133
第二节　教育信息化与高校校园文化育人信息化发展 ………… 137
第三节　教育智能化与高校校园文化育人智能化发展 ………… 147
第四节　新时代高校校园文化育人线下教育阵地开展的改革创新 ………… 150

第八章　以教育法治化推进高校校园文化育人法治化运行 ……………… 153
第一节　教育法治化的基本理论与新中国法治发展历史 ………… 153
第二节　高校校园文化育人法治化的基本理论研究 ……………… 159
第三节　当前高校校园文化育人法治化的现状 …………………… 164
第四节　新时代加强高校校园文化育人法治化的建设对策 ……… 168
参考文献 …………………………………………………………………… 172

第一章　高校校园文化与高校校园文化育人的基本理论问题研究

校园文化作为一种学校文化，除了具有文化的一般知识、理论外，还具有一些内在的东西。本章主要就校园文化、高校校园文化、育人、文化育人与高校校园文化育人等的基本概念、基本理论进行梳理、研究和阐释，形成对高校校园文化育人问题展开研究的基本理论基础，构建基本的研究分析框架，为新时代高校校园文化育人活动及本书的研究奠定坚实的理论基础。

高校校园文化作为文化的一种，需要在阐释清楚文化的基本问题、基本理论的基础上开展研究。

第一节　文化的概念、构成与功能

一、文化的概念

文化，广义上是指人类在社会实践过程中所获得的物质、精神的生产能力和创造的物质、精神财富的总和；狭义上是指精神生产能力和精神产品，包括一切社会意识形式、自然科学、技术科学、社会意识形态，有时又专指教育、科学、艺术等方面的知识与设施。文化是相对于未经人的活动外化的原始“自然”，侧重于人和物的关系框架中的“人化”事物。这些解释都是从宏观角度解读文化的概念。

目前对文化比较主流的解读，主要是从物质层面、制度层面、意识层面上阐释文化的类别和内涵。其中，物质层面的文化，主要是指人类创造的衣食住行及其相关的物态文化，是一种外显的文化。制度层面的文化，主要是指人类创造的以各种规则、细则、制度、纪律等形式存在的文化，这是一种规约性文化。意识层面的文化，主要是指人类的精神文化和行为文化，这是一种思想与行为互动的文化，具体形式主要体现为各类精神风貌、思想方式、信仰世界、行为活动等。

文化的基本概念可以从广义和狭义的角度展开理解。斯特恩根据文化的结构和范畴把文化分为广义和狭义两种概念。其中，广义上的文化，是一种“大文化”的解读；狭义上的文化，是一种“小文化”的解读。汉科特·汉默里认为，文化内涵包括三大体系，一是信息价值类文化；二是行为及其行为价值取向类文化；三是人类行为结果类文化。

二、文化的构成要素

解读文化的内涵，已经涉及文化的内在结构问题。从整体上来看，学术界和理论界对文化的分类主要也是将之分为两大类别：一种是大视角的文化分类法；一种是小视角的文化分类法。其中，大视角的解读是从广义的文化角度展开分类；小视角的解读是从狭义的文化角度展开分类。大视角的文化解读，是源于对广义文化概念的坚持，认为文化包容一切，人类的一切活动都可以纳入文化的范围进行思考和建构解读；小视角的文化解读，是源于对狭义文化概念的坚持，认为只有人类的精神层面才属于文化的范畴。

正是由于以上对文化进行广义和狭义的思考和理解，导致目前学术界和理论界对文化分类大致是沿着广义和狭义的思维路线和解释路线进行的。广义的解释路线，一般是从文化的形态标准出发，将文化系统解读分解为物质形态的文化、制度形态的文化、行为形态的文化、心理形态的文化。还有一种从人类的活动角度出发，对文化系统进行系统性的纵向解读，将文化系统划分为人类自身、人类活动、人类活动的产物等要素。我们在进行大分类的同时，对每一种文化分支都进行了研究阐释，以第一种大视角的文化解读法为例：物质形态文化，简单说就是看得见的文化；制度形态的文化，简单说就是规范我们言行的文化；行为形态的文化，简单说就是我们人类行为展现出的文化风貌；心理形态的文化，简单说就是我们人类思想领域的文化。第二种大视角的文化分类解读法，将人类自身作

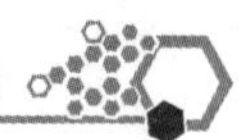

为文化发展的一个原点文化，将人类的言行与各类活动作为文化发展的媒介文化，将人类活动的产物作为一种结果性的文化。狭义的文化分类解读法，主要是关注人类精神文化，关注人类的精神文明发展的成果，这个角度的文化分类法，主要关注教育、文化、思想、精神等方面的发展情况。

三、文化的功能

人类由于共同生活的需要才创造出文化，文化在它所涵盖的不同范围和层面中发挥着主要的功能和作用。文化的功能，是文化作用体现的源头，也是文化价值的体现。一般的理解是将文化的功能概括为整合的功能与作用、导向的功能与作用、维持秩序的功能与作用、传续的功能与作用，这四个方面的功能阐释各有侧重点，这是一种就文化的具体功能作用进行的划分与阐释，存在一些交叉。

学术界和理论界都非常关注这个问题，他们积极探索和思考其现实运行。一般的研究是从文化本身能够发挥作用的角度来阐释的，这些阐释有很多是交互的、重叠的。

我们认为从文化作用的领域来划分更为清晰，比如文化的政治作用、经济作用、文化作用、社会作用、生态作用等。这种功能阐释法能够突出文化对政治、经济、文化自身、社会、生态以及其他方面的作用。

从文化作用的对象来划分，也是一种非常清晰的对文化功能作用的阐释法，将文化的作用划分为国家层面、社会层面和人类自身层面的作用，其中，对国家的功能发挥，主要体现为在国家的治理、建设中的作用；对社会的功能发挥，主要体现为在社会的安定、团结等方面的作用；对人类自身的作用，主要体现在文化对人类个体的各个方面发展和行动的指导推动作用。

第二节 校园文化的基本概念与基本理论问题

一、校园文化的基本概念阐释

校园文化的概念界定，首先需要从文化的概念界定开始。因此，首先必须要明确校园文化也是一种文化。其次要明确校园文化是学校这类组织内部的文化。因此，可以从文化角度来界定学校文化的概念内涵，也可以从大视角和小视角方面来阐释校园文化的概念。从大视角来解读，校园文化包括学校的一切人、一切事、一切物、一切活动，这些都可以归为校园文化的一个部分；从小视角来解读，校园文化主要是指向学校教师、学生以及所有人员的思想、价值观、精神风貌、舆论活动等的体现。

如果从内核来讲，一种文化的内涵是思维方式和价值追求、价值取向等。因此，校园文化的内核是反映学校教师、学生的思维方式和价值取向、价值追求等。从此内核出发，校园文化包括一个学校所拥有的一切东西，从这些东西中都可以挖掘出这些内核。

二、校园文化的基本构成解读

文化的构成要素非常复杂，校园文化的构成也是复杂多样。从不同标准出发，可以进行不同的概括总结。

从校园文化展现的形态进行解构，校园文化系统可以借助文化的形态分类来进行解构，可以解构为物质形态的校园文化、制度形态的校园文化、行为形态的校园文化、心理形态的校园文化等。其中，物质形态的校园文化，包括一所学校所有的建筑物和看得见的花草树木、图书馆、教学楼、学生寝室、操场、走廊、景观、广场、食堂、超市等，这是一种物质基础性的文化。制度形态的校园文化，是指学校所有活动、所有管理等的规则、制度等，这是一种约束性文化。行为形态的校园文化，是指教师、学生行为层面所展现出来的一种文化形态。心理形态的校园文化，是指教师、学生的思想层面的文化。这样的划分，为认知校园文化、评价校园文

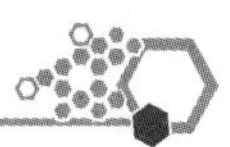

化和发展校园文化提供了思路。

从校园文化产生发展的历史过程进行解构，一所学校的校园文化构成包括教师及学生的主体文化，以及主体的活动文化、主体活动的结果文化等。这是对校园文化体系的一种纵向解构，是一种历史的解构。

从校园文化的主体归属进行解构，一所学校的校园文化可以分为四分类：即教师、学生、管理者、后勤工作人员文化。这些不同的校园主体文化，既具有各自的文化个性，也具有一定的共性。

从校园文化的发展阶段来看，文化有自己的过去、现在和未来，因此，校园文化也有自己的过去、现在和未来，可以解构为历史文化、现在文化和未来文化等。这样一种文化的划分，也提示我们发展校园文化必须注重校园文化的历史、现实和未来之间的关系，要以一种历史的视角来看待校园文化、发展校园文化。

三、校园文化的特点

解读校园文化的特点，首先需要从文化本身的属性开始。首先，校园文化具有文化的一般特点。其次，校园文化具有学校自身的文化特点。

“文化”在人类学中的概念有四大特征：文化是整合为一的，同一文化往往具有共同的价值体系和行为模式；文化是连绵不断的；改变传统和使某些传统让位，也是很困难的；文化是变迁和积累的产物；文化是普遍性的。古今中外，凡有人存在的地方便有文化。

校园文化除了文化的一般特征外，还具有自身的特征。

一是校园文化具有教育性特征。校园文化与其他文化，比如企业文化、医院文化等不一样，首先是其具有自身的教育行业的属性。这个校园文化所有的构成要素，都应具有教育的属性，具有学校的特点，处处、事事、物物等都应体现出教育的特点、学习的特点，校园文化的主导性特征就是教育性、学习性。

二是校园文化具有朝气蓬勃性特征。企业文化、医院文化等组织文化，具有一种成年性的文化特征，或者说社会性的文化特征。校园文化的主体之一是学生，学生群体最大的特征就是年轻、朝气蓬勃、不成熟等。

三是校园文化具有创造性和变化性特征。与一般企业文化、医院文化具有相对的稳定性、不容易变化性等特征相比，校园文化具有很大的变动性。因为每一年都有新的学生和老师加入学校这个团队组织。又因每一年的新学生来自不同的地方、不同的学校，这样必然会带来新的文化养分，也必然会带动校园文化的不断变化。

四是校园文化具有先进性特征。与其他的社会文化不一样，校园文化是具有正能量的文化。这种文化特征来自学校本身的教育使命，一是传播先进文化；二是培养人才；三是服务社会；四是科学研究。这些不同使命都需要依托先进的文化来开展工作，因此，校园文化具有先进性特征。

四、校园文化的功能类型及其含义

校园文化的功能需要从两个角度阐释。一是从一般文化的角度阐释，校园文化具有一般文化的所有功能。二是从校园文化的特殊性阐释，校园文化具有独特的功能。这种功能，从作用对象来讲，包括了对学校自身发展的功能、对教师的成长和工作的功能、对学生的成长和工作的功能等方面。一般的研究者往往更多关注校园文化对学生的功能，而对于校园文化对教师的功能、对学校自身的功能关注度不够。

从具体功能来讲，校园文化至少具有以下几个功能：一是基本的文化功能；二是基本的教育功能；三是基本的审美功能；四是基本的健康功能；五是促进学校发展和提升学校竞争力的功能。

一是校园文化具有基本的文化功能。既然校园文化属于一种文化，首先就应具备促进文化发展、文化传承、文化创新等方面的文化功能。这种文化功能，可以从担当新时代的文化使命角度来进一步加以思考和阐释，那就是要传承与发展中华优秀传统文化、弘扬革命文化和发展社会主义先进文化，以此推动当代中国文化自立自强、建设社会主义文化强国。

二是校园文化具有基本的教育功能。校园文化的另一个基本功能就是教育功能。这是从教育的角度来审视校园文化的功能。不同的校园文化具有不同的教育功能，比如教学文化、校园文化、食堂文化、寝室文化等都具有自身的功能特点，教学文化主要是在教学领域上发挥相应的功能，校园文化主要是对校园中活动的人、事、物等产生相应的功能，食堂文化主要是在师生就餐活动和美食文化等方面发挥相应的功能。

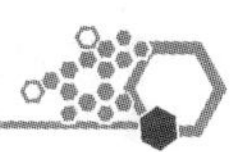

三是校园文化具有基本的审美功能。从美学的角度讲，校园中的各个点缀物体，都有增加美感的功能。比如，植物类物体让整个校园自然美、生态美的功能得以发挥；建筑物体让整个校园建筑美、人文美的功能得以发挥。

四是校园文化具有基本的健康功能。校园文化不仅仅具有审美功能，还有健身功能。比如校园里的体育器材具有多种多样的健身功能，校园里的植被具有净化大气的功能。

五是校园文化促进学校发展和提升学校竞争力的功能。校园文化除了以上四个方面的功能外，还具有促进学校发展、提升学校竞争力的功能。即使是狭义的校园文化，也具有这样的功能。对一所学校建设与治理情况的评判，不仅仅是看其教学质量，还要考察其各种软件和硬件，其中软件之一就是一所学校的校园文化，这是一所学校发展的基础，早已经成为评价学校的主要指标之一，因而校园文化具有促进学校发展的功能。

五、校园文化的作用简析

任何一个事物或者一种制度能发挥作用，均源于其本身的功能。从上面分析可知，校园文化具有文化功能、教育功能、审美功能、健康功能、促进学校发展和提升学校竞争力的功能。因此，校园文化对应的这些功能，在相应的领域中发挥着不同层面的作用。

一是校园文化在学校文化建设、国家文化建设中发挥着相应的作用。校园文化的第一功能是文化功能，因而其第一作用就是在文化领域方面能够产生的作用。对学校文化建设的作用，主要体现在推动学校大文化、小文化的建设发展；对国家文化建设的作用，主要体现在推动中华传统优秀文化在学生群体和校园中传承发展、红色文化在学生群体和校园中弘扬扎根、先进文化在学生群体和校园中发展。

二是校园文化在教育学生中发挥相应的作用。这方面作用源于校园文化具有天然的、潜移默化的教育功能。凡是健康的文化都具有教育功能、作用。校园文化不仅对学生有教育作用，对老师也有教育作用，这种作用大致可以分为党和国家层面概括的德育、智育、体育、美育、劳动等方面的教育作用。

三是校园文化在美化环境中发挥相应的作用。校园文化具有审美功能，因而具有美化环境的作用。环境是需要建设和发展的，是需要美化的，学校环境一样是需要建设、发展与不断美化。校园文化从不同角度对一所学校的环境产生不同的作用。

四是校园文化在健身健康中发挥相应的作用。这种作用源于其具有健康功能。校园文化体系中不同种类的校园，具有不同的健身健康作用，有的是产生心理健康作用，有的是产生身体健康作用。

五是校园文化在促进学校发展中发挥相应的作用。这种作用源于校园文化对学校各个方面发展具有的相应功能。校园文化中的教学文化、科研文化、学生工作文化、管理文化等对一所学校教学、教研、科研、学生工作和整个学校管理等方面会产生巨大的推动作用。

校园文化具有以上这些不同功能和作用，表明校园文化在促进学校各项事业现代化建设中具有重要的作用，因此在推动学校发展、教育时应该高度重视校园文化的功能和作用的发挥。

第三节 高校校园文化的基本理论问题研究

根据前述校园文化的基本理论，我们可以将之运用于对高校校园文化的研究上，但是必须要体现高校特色、大学生特色、高等教育特色。因此，建构高校校园文化的基本理论框架，必须要考虑这些特色。这里主要是从构成角度来研究思考的，其中最大的特色应该体现在学校的类型和专业上。严格来说，高校校园文化的基本理论体系，应该包括高校校园文化的基本概念、基本构成要素、基本功能与作用。这里将就这些问题进行简要阐释和研究。

一、高校校园文化的基本概念

高校校园文化是在高校校园内产生、形成和发展且不断变化的一种校园文化形态。按照学者金耀基的研究，高校是现代文化、现代文明的重要阵地。因此，高校校园文化应该是现代文化、现代文明的主要标志。

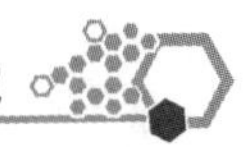

文化和校园文化都具有广义和狭义之分。广义的高校校园文化无所不包，主要包括一所高校所有的人、物、事等，包括所有的软件和硬件。狭义的高校校园文化，主要指向一个高校的价值追求、教师和学生的思维方式与思想文化等方面。

二、高校校园文化的基本构成要素

根据文化及校园文化的基本构成要素理论，高校校园文化系统可以从文化的大视角和小视角来开展研究阐释。

从小视角开展研究和阐释，高校校园文化体系可以解构为精神文化中的各个类别和构成，比如师生的思想文化、价值追求与思维习惯、思维方式、学校发展的指导思想等。

从大视角开展研究和阐释，高校校园文化体系可以解构为物质形态的校园文化、制度形态的校园文化、行为形态的校园文化、心理形态的校园文化等。我们对高校校园文化的构成要素可以做如下的简要阐释和研究。

一是提炼校园“精神文化”，以展示高校的校园文化建设精髓。“精神文化”是文化的基本思想，是承载一个人、一个单位的文化灵魂与精髓，是经过实践与历史检验的，由人类思维活动、概括提炼而成的精神成果，是语言文字的高度结晶，展示其文化面貌。校园“精神文化”主题的形成，需要高校管理者、教育者和学者的共商、共建，以形成各具特色的高校校园文化。根据高校建设的宗旨与目标、高校专业化建设要求、高校文化特色优势提炼“精神文化”。

二是设计校园“载体文化”，以展示高校校园文化建设的内容。高校校园的“载体文化”多以墙报、展板、宣传专栏、校史馆、博物馆等为载体，以标语、口号和科学家、专家学者、著名人物、名言名句、艺术作品等为内容，树立或展示于高校园内，以营造校园内的文化氛围、文化环境。在信息多元化的多媒体时代，高校“载体文化”应突破传统、超越传统，将现代多媒体、影像视频、灯光等光电技术，应用于“载体文化”建设，把传统静止的、长期不变的文化变成“活动多变文化”，以影响并感染整个校园，形成相应的文化环境和文化空间。高校校园的“载体文化”建设，应确立起“物化”与“绿化”互为一体的建设准则；高校校园的“载体文化”建设，应以“动态”文化载体与“静态”绿化相结合；高校校园的“载体文化”建设，应与“精神文化”互为体系。

三是高校校园的“制度文化”建设，展示高校的校园文化形象。构建以“权利与义务”为内容的“制度文化”，彰显高校的职责与责任；构建以“公平与正义”为内容的“制度文化”，彰显高校的透明与格局；构建以“公正与秩序”为内容的“制度文化”，彰显高校的正气与学风。

四是高校校园的“行为文化”建设，以展示高校的校园的规则秩序形象。高校校园的“行为文化”，是高校的“精神文化”“载体文化”和“制度文化”的内在内容的综合展示，全面反映高校的校园建设的文化“精、气、神”。高校校园的“行为文化”表现，应有其自身的独特性和特质。因为高校不生产物质产品，而是精神财富的创造者。因此，高校校园的“行为文化”，可以从精神财富与成果、制度文化与素养、行为规范与礼仪、心态行为与展示等方面建构相应的沉浸式展示体验区域。

五是高校校园的“职业文化”建设，以展示高校对学生“工匠精神”的培养。高校校园的“工匠精神”建设，应紧扣“专业化”优势。高校校园的“工匠精神”建设，首先必须选择并奠定好高校的“专业化”优势。把高校的优势专业、优势学科、优势技能确定好，为构筑高校的“工匠精神”奠定基础。其次应把高校的“优势专业”建设作为第一要务，集中人力、智力和物力、财力，用于“优势专业”的建设，为“优势专业”的发展和高校“工匠精神”的形成，打下坚实的基础，为“优势专业”和高校“工匠精神”的发展与升华，提供充分的保障。再次，科学定位高校“优势专业”发展方向与路径。高校的“优势专业”建设，有基础理论优势、服务实践应用优势、前沿和前瞻性发展优势之分。这三个方面做得好，都有可能成为高校“工匠精神”的先进代表和高校智慧的集中反映与体现。

三、高校校园文化的基本功能与作用

高校校园文化具有自身基本的功能和作用。从功能和作用本身来进行研究与阐释，高校校园文化具有导向、凝聚、整合、规范等方面的功能与作用。这些功能与作用阐释不是很清晰，容易模糊，因此很有必要对高校校园文化的功能和作用进行另一番解释和研究。以高校校园文化的作用为

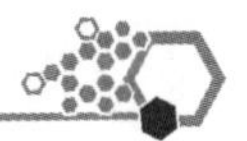

对象，研究其对文化、高校、高校师生、环境等方面具有的不同功能和作用。

第四节　育人、文化育人与高校校园文化育人的基本概念与基本理论问题研究

高校校园文化育人是文化育人的一种，需要在阐释清楚文化育人的基础上方能更好地研究高校校园文化育人的问题。

一、育人的概念和基本理论

育人，全称就是教育人。关于育人的构成、内容、目标、方式、主体等，从历史到现实，从学术界到理论界、教育界，都有很多探讨和解读，也有很多的研究成果。

育人的理论研究很多，古今中外，不计其数。在我国历史上比较典型的理论，有古代孔子的教育思想，民国蔡元培的“五育”理论、陶行知的生活教育理论、黄炎培的职业教育思想、陈鹤琴的学前教育思想等，国外有夸美纽斯的教育思想、杜威的教育思想等。如果从教育理论的内容来梳理，到目前已经形成三大教育理论——人本主义教育理论、建构主义教育理论、行为主义教育理论。这些教育家的教育思想、教育理论对我们的各类教育活动都有或多或少的影响。

育人系统由诸多要素构成。从系统论研究来说，育人系统主要包括育人的理念与价值取向、育人的主体、育人的客体、育人的载体和方法、育人的保障与督导。育人的理念与价值取向，主要是解决育人的价值追求，彰显育人的境界高低。育人的主体主要是育人的施教方，彰显育人的不同风格。育人的客体主要是学生对象，不同年龄、不同学校的受教育群体各具特色，也有共享的部分。育人的载体，主要是解决育人的阵地问题，在什么载体上开展育人活动、育人工作。育人的保障，主要是解决育人需要的一些基本条件，包括硬件和软件两方面的条件。育人的保障与督导，主

要是育人的评价体系。这些不同层面的要素和构件具有重要的意义和不同的要求，在建构育人系统的过程中，都应该好好得到重视与建设。

二、文化育人的概念和基本理论问题

1. 文化育人的概念

文化育人作为新时代高校三全育人理念下的十大育人体系中的一种重要育人模式，已经成为学术界、理论界和实务界这些年关注的重点和难点。文化育人，不仅可以从思想政治教育角度开展研究，也可以从专业、职业与通识教育的角度开展研究和阐释。从思想政治教育角度来阐释，文化育人主要是开发利用文化的育人功能，发挥其育人的思想政治教育作用。从专业教育角度来阐释，文化育人是一个对学生的专业学习上产生作用的过程。从职业教育角度来阐释，文化育人是一个对学生的职业素养、职业知识、职业技能等方面发挥作用的过程。从通识教育的角度阐释，文化育人是一个对学生进行各种通识知识和技能培育的过程。

2. 文化育人的结构问题

文化育人作为一项综合性的教育工程，可以从横向和纵向来研究思考其内在的结构问题。从横向来看，文化育人由文化育人理念、文化育人主体、文化育人客体、文化育人载体和方法、文化育人的保障问题和督导评估等要素构成。从纵向来看，文化育人包括传统文化育人、革命文化育人、现代文化育人等。

一是从横向载体来看，由文化育人理念与价值取向、文化育人主体、文化育人客体、文化育人载体和方法、文化育人的保障问题和督导评估等要素构成。其中，文化育人理念与价值取向是指文化育人的价值追求，展现的是一种教育理念，是与价值体系相关的思想。文化育人的主体是指文化育人的推动者，主导文化育人的前行过程。文化育人的载体，是指文化育人的各种平台、阵地，目前主要分为两类：线上载体、线下载体，为文化育人活动开展提供场域、空间和氛围。文化育人的方法，是指文化育人采用的具体形式、手段。从教育学角度来讲，教育方法主要有语言教学法、情感教育法和行为教育法等三大类的教育方法。文化育人的保障，主要是指文化育人需要的人力、物力、财力以及各种制度保障，这是育人工

作正常顺利开展需要的一系列保障供给条件。文化育人的督导，主要是指文化育人工作需要一套科学的、完整的质量评估体系和全方位的监控体系，以便为之提供强大的外部推动力。

二是从纵向来看，文化育人包括传统文化育人、革命文化育人、现代文化育人等。文化育人，可以从教育过程来进行分类，也可以从教育内容来进行划分，除了各个学科的学科文化教育外，中国文化的构成还应分为三部分。其一，对广大学生开展中华优秀传统文化的传承教育活动，挖掘和利用中华优秀传统文化中的有益教育资源，对广大学生进行各个层面的素养培育。其二，对广大学生开展革命文化教育活动，挖掘和利用革命文化资源，对广大青年学生进行红色基因的教育。其三，对广大学生开展现代文化教育，尤其是科学文化教育。现代文化育人，是文化育人的重要内容。主要是指用现代科技文化、物质文化、思想文化、制度文化、行为文化等来教育广大青年，努力提高青年群体的现代思想素质、科技素质和道德素质。

3. 文化育人的功能与作用问题

文化育人的功能与作用，源于两个方面：一是文化的功能与作用；二是教育的功能与作用。从这个方面讲，文化育人是属于一种横跨文化领域和教育领域的复合型活动，因而至少具有文化、教育等两个方面的功能与作用。这些问题的探讨，是属于对文化育人问题进行元问题的研究和阐释。

一是文化育人的文化功能与作用研究。利用各种文化开展教育活动，对文化本身的建设发展、创新创造、传承弘扬、作用发挥等方面具有诸多的作用。在开发利用中华优秀传统文化的育人作用时，我们会对中华优秀传统文化进行创造性转化和创新性发展，这是进行中国式现代化建设时对中华优秀传统文化进行文化批判、文化再造的过程，在发挥文化育人作用时也将推动中华优秀传统文化融入受教育对象的生活、工作、学习中，不断扩大中华优秀传统文化的影响力、生命力、感染力，不断推动其传承与发展。由此可见，通过开展文化育人，中华优秀传统文化本身的发展将得到很大推动，其本身将会得到一种“新生”。在挖掘和开发中国革命文化的教育功能的同时，我们会对革命文化的内容加以时代性的阐释和重组，并加以广泛传播，以此不断增强革命文化在学生群体和学校中的影响力、传承力、感染力，让革命文化永远扎根学生群体和各级各类学校。在挖掘和开发现代文化的教育作用的同时，大力宣传现代文化，大力发展现代文化，包括现代政治、物质文化、精神文化、生态文化等，使其得到发展、传播与传承，并使之扎根学生群体和各级各类学校，让现代文化不断得到发展。

二是文化育人的教育功能与作用研究。关于文化育人的教育功能和作用，可以从两个角度开展研究和阐释。从受教育对象来看，文化育人可以对学生、教师及其他人产生不同的教育作用。从教育类型来看，文化育人活动，可以对受教育者产生德智体美劳等各项教育作用。在智力教育方面，可以对学生的专业知识技能进行教育；在德育方面，可以对学生进行传统道德、现代礼仪等方面的培养，也可以对现代职业精神、专业精神等方面的素养进行培育与践行指导；在体育方面，可以对学生进行健康文化的教育和健康能力的培训培育；在美育方面，可以对学生进行自然美、社会美、人文美等方面的教育和知识技能的培育，提升审美的素养并培养美的气质；在劳动教育方面，可以对学生进行各种劳动知识和技能的教育培养，提升学生的劳动素养和能力。

三、高校校园文化育人的基本概念和基本理论

1. 高校校园文化育人的概念

高校校园文化育人这个概念有几个关键词需要解读。一是高校，它确定了校园文化育人的层次范围。二是校园，它确定了校园文化育人的场所。三是文化育人，它确定了校园文化育人的内容。因此，要完整阐释高校校园文化育人的概念，必须对这些基本元素一起进行阐释与研究。

通过从以上分析，我们可以这样概括高校校园文化育人这个基本概念：高校校园文化育人，是在高校采用校园文化育人的一种教育模式，是高校众多教育模式的重要分支，是与课堂教学模式对应的、辅助性的一种环境育人模式。

2. 高校校园文化育人的构成

作为高校的一种教育模式，高校校园文化育人模式可以采用教育系统

论和整体性理论进行研究阐释。从教育系统论来构思，高校校园文化育人作为一项系统工程，主要包括文化育人的理念、主体、客体、载体与方式、保障、督导等要素。从文化育人内容来划分，可分为专业文化育人、传统文化育人、革命文化育人、现代文化育人以及其他文化育人。

其中，高校校园文化育人体系的构成要素及其内涵，以系统论开展研究和阐释，显得更为丰富多彩，也更有价值。

理念是行动的先导，是推动行动正确前行的思想指导。因此，高校校园文化育人系统的一个核心价值取向元素就是育人理念问题。育人理念的发展和选择，彰显了一种教育模式的发展和前行的价值追求。当下高校校园文化育人理念体系有很多，比如科学化的育人理念、五大发展新理念下的育人理念、五育并举融合发展的育人理念、复合型的育人理念、三全育人理念、专业教育与通识教育及职业教育融合的教育理念、课程思政的育人理念、校地合作的育人理念等。

主体是推动高校校园文化育人的推动者。这个推动者主要是老师，也包括学生群体。高校校园文化育人做得如何，进行得如何，与文化育人主体的情况息息相关，因此必须做好文化育人的主体建设，做好育人主体的知识、能力、思想等方面的建设。

客体是高校校园文化育人所指向的学生群体。如果从广义的角度来看，高校校园文化育人的客体还可以包括所有教师。学生群体的心理、思想、生理、专业学习情况、现代公民素质和能力等情况都是影响高校校园文化育人的重要因素。因此，在推进高校校园文化育人过程时，必须要高度重视对学生群体进行教育和管理。

载体是行动的平台。高校校园文化育人主要有两大平台，一个是网络平台；另一类是实体平台。平台决定校园文化育人的覆盖面和惠及面，决定校园文化的育人效果。因此，推动高校校园文化育人，必须要重视校园文化育人的实体平台，比如教室的建设、寝室的建设、操场的建设、校园道路和走廊的建设、校园雕塑、校园的其他建筑等，这些都是校园文化的载体，都是可以开展校园文化育人的平台。在网络时代，学校也有了自己的网络平台、网络空间，网络上开发形成的各种学校平台，都是学校校园文化的平台，都是校园文化育人的载体和阵地。

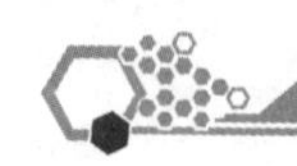

保障要素和条件是校园文化育人的重要部分，是高校开展校园文化育人不可或缺的重要因素。从内容上看，校园文化育人的保障条件有很多，比如物质条件的保障、人力投入的保障、经费的保障以及有序运行的法治保障等，这些都是高校推动校园文化育人的重要保障。因此，要想加强高校校园文化育人工作，就必须做好校园文化育人的各方面的准备和建设工作。

督导是校园文化育人的控制性环节和要素，是推动高校校园文化育人工作高质量发展的重要条件。要督导，首先需要制定好校园文化育人的质量评价体系，这是开展有效督导的前提和基础。因此要建构一套完善的校园文化育人督导体系，现场督导、网上督导、学生督导、教师督导、自我督导等方式都应纳入其中。

3. 高校校园文化育人的特点

作为一种特殊的育人模式，高校校园文化育人模式具有诸多特点，比如文化性、教育性、系统性、脆弱性、持久性、隐形化、脆弱性、全面性等。

一是高校校园文化育人具有文化性的特点。这是其核心的特点。关于文化性特点，高校校园文化本身的内容是文化，本身采用的形式也是文化，其目的之一也是传播先进文化、传承中华优秀传统文化和革命文化，本身的载体也具有强大的文化性。

二是高校校园文化育人具有教育性的特点。这是其关键的特点。关于教育性特点，主要应从教育角度来思考高校校园文化育人的特点。这种教育性体现在其本身就是新时代高校的一种教育模式，在执行的整个过程都会体现教育的无限魅力。

三是高校校园文化育人具有系统性的特点。这是从结构的角度讲高校校园文化育人的特点。高校校园文化育人作为一项行动，应从结构功能主义理论的视角来阐释和解读，它有自己的系统构成要素，主要包括文化育人的理念、文化育人的主体、文化育人的平台与载体、文化育人的方式、文化育人的各类保障条件、文化育人的评价指标与督导等。这些不同的要素，都是推动新时代高校校园文化育人活动开展必须要特别注重的。

四是高校校园文化育人具有一定的脆弱性特点。这是从教育韧性角度

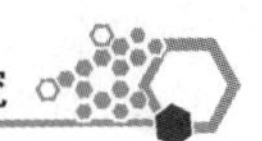

讲高校校园文化育人的特点。文化是一个具有保守特点的阵地，也是一个容易受影响的领域。在这个领域中，青年群体是最容易受外部影响的群体，这就导致高校校园文化中的青年文化具有很大的变动性，从而具有一定的脆弱性。

五是高校校园文化育人具有持久性特点。这是从教育的持续时间来讲高校校园文化育人的特点。文化产生作用往往是潜移默化的，要真正达到育人的目的，需要一个长期的过程，需要进行一个长时段的规划和设计，更需要循序渐进做好每一项工作。

六是高校校园文化育人具有隐形化特点。这是从教育的呈现形式来讲高校校园文化育人的特点。文化育人无处不在，但是文化育人的过程不是显性的，而是以一种润物无声的方式，循序渐进地教育着我们。

七是高校校园文化育人具有全面性特点。这是从教育内容的角度来讲高校校园文化育人的特点。校园文化的内容无所不包，因此对每一个学生的教育应该是全面的，这是从校园大文化的概念角度来讲的。

4. 高校校园文化育人的功能与作用

高校校园文化育人功能与作用，源于文化的功能与作用，源于校园文化育人的功能与作用。因此，研究阐释校园文化育人的功能与作用必须要建立在这两个功能与作用的基础上，只有结合高校的实际情况，方能做出有针对性的阐释和研究。

按照前面对校园文化育人功能和作用的阐释研究，高校校园文化育人的功能和作用主要分为三大块：一是文化功能与作用；二是管理功能与作用；三是教育的功能与作用。

高校校园文化育人具有诸多的教育功能。其一，精神引领功能。大学文化本身并不是独立的，它存在于整个大学教育之中，但又影响与引领着整个大学教育的思维和行动。大学文化对大学生的发展方向也起到重要影响，影响着学生的思想、价值判断、行为习惯，是每一个学生内心深处的精神需求和严格遵守的行为准则。在大学文化的引导下，大学生能够找到自己的精神家园，从而探寻大学的精神文化。而指引大学生坚持正确的价值取向，是大学文化最重要的功能。高校的办学定位与发展战略、规章制度、人才培养目标、教学体系、学术规范、教风学风、课程设置、教学方

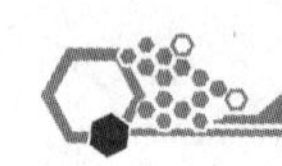

式方法等因素，都是根据这一价值观所设定的。其二，情感认同功能。即当一种价值观得到高校师生的整体认同后，很有可能会变成一种黏合剂，可以把自己的成员从各个方面凝聚在一起，产生强大的凝聚力、向心力和促进力，迸发出群体和个人强大的能量，使其能够为高校的使命和学校的声誉勇往直前、开拓创新。其三，价值认同功能。大学文化每时每刻都在影响着师生的价值判断、教学理念、行为习惯和思维方式。通过文化认知的过程和对社会现实的分析，大学生能够塑造适应现实和社会发展需求的价值观。从价值观层面，大学文化限定了大学生对社会的认知，从而促使学生限制和调整自身行为。作为一个社会组织，大学文化应该是其内部组织的全体成员都能够自觉遵守和实践的。其四，情感陶冶功能。大学无法被取代的力量，就是它的文化影响力。大学文化对学生的影响带有深刻性、潜在性与持久性。除知识之外，高校对于学生真正有意义的东西，就是高校本身及其周边的环境和生活。在这样的文化氛围中，大学生们接受着情操的陶冶、文化的沐浴、人格的升华和道德的洗礼。大学文化的真正价值就在于其文化氛围对大学生心灵的美化作用，大学给予学生们的除知识之外，还包含道德观、价值观、思维方式、荣辱观、行为习惯等。这些虽然不一定是老师能够教导他们的，但一定依存于大学的浓郁文化氛围当中。

高校校园文化育人具有诸多的文化功能。高校校园文化不仅具有育人的功能，还有发展文化的功能。一种文化也是需要发展的，文化只有被人掌握并使用，才能真正发展。大学校园为各种健康文化发展提供了很好的平台和空间场域。校园的各个场域、各个阵地，可以弘扬革命文化、中华优秀传统文化，可以承载先进文化的发展。

高校校园文化育人具有诸多的管理功能。学生群体在学校学习、生活和工作，是需要管理引导的一个群体，学校在发展前行中，会遇到很多挑战和困难，也涉及很多工作，这也需要管理。采取什么样的方式开展管理，是高校管理效能提升的一个关键。校园文化作为一种特殊的文化，在制度管理以外，还拥有一种柔性管理的持久作用。

第二章　加强新时代高校校园文化育人的新要求

新时代高校校园文化育人活动作为高校的一项重大教育活动，积极推进和开展有其多方面的原因和要求。一是国际文化与意识形态竞争的推动，二是文化和校园文化本身具有的诸多功能与作用，三是大学生全面成长与发展的需求，四是高校育人质量提升和文化育人效果提升的需要，五是建设教育强国和建设一流大学的需要，六是建设现代大学文化和校园文化本身的需要，七是满足新时代大学生对美好生活期盼的需要。这些不同层面的原因，为推进高校校园文化育人活动提供不同的要求，在一定程度上也提供了不同层面的前行动力。新时代高校校园文化育人应该勇敢肩负这些重任并承载这些期盼，积极改革创新，努力做到高质量发展。

第一节　国家文化软实力建设与竞争力提升的推动，需要高校校园文化育人活动的开展

一、文化软实力的基本理论研究阐释

文化软实力是软实力的一个概念体系，也是一个总体概念，已经成为学术界、理论界和实务界高度关注的一个焦点话题，尤其是在文化全球、多元化交流对话的今天，文化软实力更是引起了人们的高度关注。党的十八大以来，习近平总书记就我国文化软实力建设进行了一系列新思考、新探索，提出了一系列新观点、新战略、新理念，做出了诸多重大部署，尤其是在党的二十大提出了坚持文化自立自强、铸就社会主义文化事业新辉煌这一目标。而在 2023 年 6 月 2 日提出的担当新的文化使命、建设中华民

族现代文明，更是将当代中国文化软实力建设提高到整个中华民族现代文明建设上来，可见文化软实力的重要性。这一部分将就文化软实力的概念、结构要素与重要性等问题进行研究阐释。

1. 文化软实力的概念阐释与研究

要阐释清楚文化软实力，首先得弄清楚软实力这一概念体系的来源。根据美国学者的研究，软实力是与硬实力相对的一个概念体系，在研究国家综合实力、综合竞争力的基础上，人们将国家实力划分为软实力和硬实力。对硬实力的解读，一般是圈定在一个国家的经济实力、军事实力、科技实力等方面；对软实力的解读，一般是圈定在一个国家的文化实力、制度实力、价值观和思维方式的实力、道德能力与素养的实力等方面。国际上通用的软实力的解读，基本上都来自美国。我国对软实力的概念阐释，基本上也是沿用美国学者提出的软实力的概念。

关于文化软实力概念的具体阐释和研究，在不同的国家有一定的差异。在我国，我们非常强调中华优秀传统文化的软实力作用，并将之归为文化软实力的范畴。

2. 文化软实力的结构研究和阐释

文化软实力源于对软实力的概念和范畴的界定和阐释，也源于对文化概念和阐释的界定。这里为方便阐释和研究，我们将文化的概念和范畴圈定在狭义的视角中开展研究。根据目前国内学术界、实务界和理论界的关注重点，结合相关的学科和理论，文化软实力体系的范畴是一个边界非常不确定的概念体系。

从对国家竞争力的影响来看，文化体系中有很多因素均有重大作用。一个国家的文化软实力体系主要包括以下几个要素：一是国家的价值追求；二是国民的思维方式和道德水平；三是国家文化产业与文化实力、文化服务的情况；四是制度与体制方面的实力；五是管理方面的实力；六是各类文化形态的最新发展。

价值取向、价值追求的定位和完善，是一个国家最深厚的文化软实力体系的构成要素，关系到整个国家、全体国民的内在发展动力。其是否完美正确，影响到一个国家的发展模式、发展潜力，影响到一个国家国民的世界观、人生观和价值观等观念的形成和建构。因此，进行文化软实力建

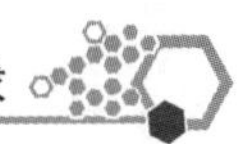

设，必须要高度重视价值体系的建设。整个价值体系的内容主要包括一个国家在政治、经济、文化、社会、生态、人的发展等。

国民的思维方式和道德素养是一个国家文化软实力体系的另一个主要构成要素。思维方式和道德素养是看不见的国民内在素质，是从国民外在言语、行动可以推测的一个主要文化软实力。其中，思维方式展现的是一个国家国民的思维习惯、思维方法、思维原则等，对一个国家的发展走向具有重大的影响，这种思维方式体系，主要包括工作思维方式、生活思维方式、交往思维方式、学习思维方式等，这些影响和决定了国家的发展思路和走向，也影响了一个国家各个行业的发展思路和走向。国民的道德素养是一个国家文化软实力的道德领域中的重要构成元素，这种道德素养，包括国民的各类礼仪习惯与素养和内在的道德追求。加强国民思维方式和道德素质建设是国家文化软实力建设的重要内容。

文化软实力的内涵和要素非常丰富。其中，国家制度体系，就包括一个国家的整个体制、政治制度、经济制度、文化制度、社会制度、生态制度以及其他领域的制度体系。国家制度与体制以及管理水平是一个国家管理文化中的主要部分，可以称之为管理文化软实力。国家制度和体制决定一个国家的现在和未来，决定其竞争力的提升。管理水平也是一个国家重要的文化软实力，管理水平包括一个各个行业、各个领域、各个组织的管理模式和实际运行效果。这两大类文化软实力，需要高度重视和具体落实。

具体开展文化服务和文化发展的文化事业、文化产业及其相关机构、组织的建设情况，是一个国家文化软实力发展的集中体现。其中文化事业部分，主要包括图书馆、科技馆、博物馆等的建设和发展。文化产业部分主要包括电影公司、出版公司、文艺公司等。这些文化实力的发展，关系到一个国家和国民的健康发展，也是一个国家文化软实力和整体实力的文化支撑。

各类形态的文化发展情况，是一个国家文化实力建设与发展的又一个重要方面和构成部分。就我国目前的文化形态来看，主要要看中华优秀传统文化、革命文化、现代文化以及各个部门的文化建设情况。

3. 文化软实力的功能与作用研究阐释

文化软实力的功能与作用，源于文化的功能与作用。从作用对象来看，文化软实力的功能和作用可以聚焦在对国家文化领域发展、国民素养的提升、社会文明程度、对外交往等方面的作用。从功能和作用本身来看，就需要结合文化软实力的不同种类来研究和阐释。

就第一个方面的来阐释，文化软实力的功能和作用可以进行研究。一是一个国家文化软实力的发展在很大成程度上影响着其他领域的发展，如政治、经济、社会、生态以及其他方面；二是一个国家文化软实力的发展，直接影响和决定着一个国家文化的发展走向和现状；三是一个国家文化软实力的建设情况，将影响到一个国家国民文化素养的培育和提升，也影响到一个社会文明发达程度；四是一个国家文化软实力的发展，会影响到一个国家国际交往的原则和价值准则，影响到一个国家对外战略的制定和行动开展。

就第二个方面来阐释，需要从国家文化软实力的各个组成部分展开讨论和研究。一个国家价值体系、国民的思维方式与道德素养、文化产业与事业的发展、制度体系与管理水平、各类文化形态的建设发展等文化软实力要件，从不同方面对整个国家、社会、国民、行业发展和组织发展等都产生着重要作用。其中，一个国家的价值体系的建构完善与运行，是国家前行的内在持久动力。国民的思维方式和道德素养等情况，决定着国民的发展和社会贡献力的发挥。文化产业和事业的发展建设情况，影响着国家各个行业的发展，也影响着国民的文化服务和文化生活。制度与管理水平这类文化软实力，影响着一个国家、社会的健康运行和持久竞争力。各类文化形态的建设与发展，从不同层面影响一个国家及其国民的言语和行动，也是一个国家文化发展的体现。

文化软实力的功能与作用，彰显一个国家文化发展的重要性和必要性。因此，当下从国家层面到每一个行业、组织都应积极注重文化建设，注重对文化的作用与功能的挖掘和发挥。

二、国家文化软实力的激烈竞争和建设，需要开展校园文化育人

高校作为先进现代文化的重镇，其校园文化育人工作的开展，从文化软实力角度看，主要是基于两个层面的因素：一是面对日益激烈的国家文化竞争和建设，需要加大发挥校园文化的育人工作；二是面对日益激烈的高校竞争和大学文化建设的要求，需要加大新时代高校校园文化的育人工作。

1. 当代中国国家文化软实力的发展，需要大学文化软实力的提升

一个国家文化软实力的载体的核心在高校的发展，体现在高校文化建设上。可以这样讲，高校的文化发展影响一个国家文化的现在和未来。

高校对国家的影响，主要是通过人才培养和输送、科技发明和转换使用等途径，影响到一个国家文化软实力的发展。高校最大的文化实力就是人才实力，在某种程度上，人才也是高校的硬实力。

高校的精神文化、物质文化、制度文化、行为文化等的建设，从不同层面影响到国家的文化要素建设，比如，高校精神文化会影响到国家的精神文化的走向和发展。高校制度文化建设发展情况，会影响到国家的制度文化建设和创新发展。高校物质文化建设，反映和影响着一个国家的物质文化建设和物质文明的发展。高校行为文化建设，影响和体现着一个国家国民的行为文化建设。

大学文化软实力中各个文化要素，对国家文化和大学自身文化建设具有不同层面的作用。其中，精神文化是大学文化软实力的核心。大学精神文化是大学文化软实力中最深层的文化力量，是大学文化软实力的核心。制度文化是大学文化软实力的保障；大学制度文化位于大学文化软实力的中层，是大学文化软实力的重要保障；行为文化是大学文化软实力的体现，大学行为文化属于大学文化软实力的表层，是大学文化软实力中最生动形象的部分，是大学精神在大学生身上的动态体现；物质文化是大学文化软实力的基础，大学物质文化也位于大学文化软实力的表层。

2. 大学文化软实力的提升，需要加大新时代高校校园文化育人的力度

国家文化软实力的提升，需要大学文化软实力的提升，大学文化软实力的提升需要大力推动高校校园文化育人，在育人中推动高校各类文化的发展和建设。这是国家文化软实力、大学文化软实力与新时代高校校园文化育人的内在逻辑关联。

大学文化软实力建设，不能仅仅局限在文化领域，关键在于落实到文化载体的建设上，落实到文化人的建设上。除了各类文化平台和载体建设上，高校文化软实力的建设，关键在于提升大学生的文化知识和技能。对现代文化建设、优秀传统文化传承发展、革命文化的弘扬以及大学文化自身的建设，都需要发挥好教育途径的巨大作用。现代文化的建设发展，需要通过各种途径积极开展现代文化育人活动。优秀传统文化创造转换和创新发展，需要通过各种教育活动来落实，革命文化的弘扬和传承，也需要高校通过各种各样的教育途径来落实。各种教育活动，让大学文化软实力提升融入教育之中，在教育青年中得到发展、得到建设。

三、当前我国文化软实力不太强，需要加强校园文化育人工作

推进高校校园文化育人工作，不仅有充足的理论根据，更有非常紧要的现实需求，这种需求主要是我国文化软实力不强的现实情况，需要着力发挥高校校园文化育人作用和功能，积极开展校园文化育人活动。

整体看来，党的十八大以来，我国文化事业和文化产业取得突飞猛进的发展，始终坚持发展社会主义先进文化，加强社会主义精神文明建设，培育和践行社会主义核心价值观，传承和弘扬中华优秀传统文化，以正确的舆论凝心聚力，以优秀的作品繁荣文化艺术，公共文化服务和文化产业逐步实现高质量发展，中华文化国际影响力不断增强，为新时代开创党和国家事业新局面提供了思想保证、舆论支持、精神动力和文化条件。具体体现在思想理论的武装和指导上、主流舆论场域的建设上、文艺作品的创作上、公共文化服务的发展建设及中华优秀传统文化的传承与发展上、文化产业与事业的发展上、文化与旅游的融合发展上，都取得实实在在的成果，极大丰富了人民群众的精神家园。

尽管我国文化软实力取得了很多成果，但是仍然存在很多深层次的问题。一是社会主义核心价值观的社会层面、个人层面的要求有待进一步落

实；二是优秀传统文化和革命文化有待进一步融入国民的日常生活；三是现代法治文化、科学文化的建设发展，有待进一步推进；四是公务员、教师、医生等行业文化的健康发展有待进一步提升；五是我国影视文化的水平有待进一步提升；六是我国的国家制度文化有待进一步完善，其国际竞争力有待提高；七是我国国民的精神风貌与现代文明素养有待进一步提升。以上这些文化软实力在建设上存在的不足，是影响我国现代化建设和民族伟大复兴的深层次文化因素，必须要高度重视和彻底贯彻落实。

以上这些所有层面的不足，可以追溯到高校校园文化育人的开展情况和高校文化建设上。守住青年学生时代的文化教育，是解决当前我国文化软实力不够强的一个源头性措施。当下高校校园文化育人活动应紧扣我国文化软实力不足的问题，对大学生开展有针对性的文化教育活动。

第二节　文化和校园文化本身具有的诸多功能与作用，内在决定开展高校校园文化育人的前提

开展新时代高校校园文化育人活动，首要前提是文化具有诸多育人功能和作用，直接前提是高校校园文化具有多样化的育人功能与作用。因此，研究阐释新时代高校校园文化育人工作开展的各种逻辑依据，需要从前提条件进行思考，这些前提条件主要在于文化与校园文化本身的功能与作用，尤其是其本身的教育功能与作用。以下将就这些前提性依据进行阐释和研究。

一、文化的功能与作用是校园文化育人的前提性条件

文化的功能和作用，从作用对象来看，主要是在国家、社会及个人层面产生各种作用，具有不同层面的功能。从国家层面上看，根据马克思主义基本原理，文化具有思想保证、治理支持、精神动力和凝聚力量等作用。对国家不同层面的作用，预示了文化育人可能发生的作用，为校园文化育人活动的开展提供了依据、增添了信心、指明了发展的方向。从社会

层面上看，文化对美化社会环境、改变社会风气、提升社会文明程度等具有十分重要的功能，发挥着十分重要的作用。对社会不同层面的功能与作用，也预示了校园文化育人必须要把握的方向和前提。从个人层面上看，文化对个体的成长、事业与职业发展、相关活动等都具有十分重要的引导、规范、教育功能。这同样预示着文化对个体的不同功能与作用，要求校园文化育人要把握住这个基点。

文化的功能与作用从文化本身的功能和作用类别来研究阐释，是开展校园文化育人行动的一个需要认真研究和把握的基本前提和走向。

在开展校园文化育人行动的时候，这两个前提性条件都是推进校园文化育人行动的内在逻辑。

二、校园文化拥有的各种功能作用是开展校园文化育人的关键

校园文化的功能作用可以进行多种划分，不论是哪一种划分，都展示了校园文化本身拥有的功能作用是开展校园文化育人活动的关键。

从校园文化本身的作用来划分，校园文化具有以下功能与作用。一是导向作用。校园文化有助于将学校全体员工的思想与行为统一到学校的发展目标上来，不仅对学校教师与学生等成员的心理、性格、行为起塑形作用，而且对学校成员整体的价值取向和行为起导向作用。二是陶冶作用。校园文化能对学校成员特别是学生整体的思想、性格、兴趣起潜移默化的作用，让学生等群体在校园文化情景中受到“陶冶”，体现出它陶冶育人的作用。三是激励作用。校园文化所蕴含的价值立场、奋斗理想等能够使学校教师、学生看到学校的特点和优点、方向与目标，形成对学校的自豪感，激励师生按照学校建设方向努力。四是凝聚作用。校园文化是使全体成员自觉地接受学校的共同信念和价值观，促进学生、教师、管理人员、后勤工作人员等对学校的心理认同，从而把个人融合于集体，形成归属感，增加凝聚力。

从校园文化功能与作用展现出来的形式看，可以将校园文化功能和作用进行更为简单的二元划分法。一是显性功能与作用，这主要体现为对师生的言行和学校发展等直接产生的、外在的、看得到的影响，这往往体现为一种明显的变化与影响。二是隐性功能与作用，主要表现为对师生、学

校、社会等间接产生的漫长的、内隐的影响，这种功能和作用往往体现为一种潜移默化的影响和作用。

第三节　大学生全面成长与发展的需求，需要加强校园文化育人活动

校园育人活动围绕的是人的教育，开展新时代高校校园文化育人活动的一个主要原因就是人的全面发展的理论支撑和当代大学生全面发展情况不理想的现实情况。这一方面的原因，主要从人的角度来探讨，涉及教育学等相关理论阐释与运用。

一、人的全面发展的内涵与条件

人的全面发展是指人的劳动能力的全面发展，即人的智力和体力的充分、统一的发展，同时，也包括人的才能、志趣和道德品质的多方面发展。科学素质是人的全面发展的内在要求，人的全面发展是指人的劳动能力，即人的体力和智力的全面、和谐、充分的发展，还包括人的道德的发展。人的发展同其所处的社会生活条件是相联系的，机器大工业生产提供人的全面发展的基础和可能，社会主义制度是实现人的全面发展的社会条件。生产劳动同智育和体育相结合，不仅是提高社会生产的一种方法，而且是造就全面发展的人的唯一方法。

人的全面发展是全面发展教育的目的，全面发展教育又是实现人的全面发展的教育保障和教育内涵。

一是人的全面发展是教育的目标追求。马克思主义关于人的全面发展学说从分析现实的人和现实的生产关系入手，指出人全面发展的条件、手段和途径。人的全面发展有其基本内涵，包含人的体力、智力及思想道德等方面的全面发展；包含人在社会众多领域的才能及其创造；包含在既定的历史条件下，人的个性的自由发展和如愿从事各种社会活动。当然，这又须以不妨碍其他人的全面自由发展为前提。在《共产党宣言》关于人的全面发展的方面中，马克思指出代替那存在着阶级和阶级对立的资产阶级旧

社会的，将是这样一个联合体，在那里，每个人的自由发展是一切人的自由发展的条件。

在西方思想家关于全面发展教育的观点中，古希腊哲学家亚里士多德主张和谐教育。夸美纽斯在其著作《大教学论》中，提出泛智教育的理想，希望所有的人都受到完善的教育，使之得到多方面的发展，成为和谐发展的人。法国启蒙思想家卢梭是自然主义教育思想的代表，他认为教育的目的和本质，就是促进人的自然天性，即自由、理性和善良的全面发展。瑞士教育家裴斯泰洛齐倡导教育应以善良意志、理性、自由及人的一切潜在能力的和谐发展为宗旨。

二是全面发展教育是教育和谐发展的理念。人的全面发展首先是指人的完整发展，即人的各种最基本或最基础的素质必须得到完整的发展，实现人的智力和体力的全面充分发展，实现人的能力和个性的自由充分发展。科学素质是人的全面发展的内在要求，人们通常所说的人的全面发展，是把人的基本素质分解为诸多要素，即培养受教育者在德、智、体、美等方面获得完整发展。

二、新时代大学生全面成长和发展，需要加强高校校园文化育人工作

高校校园文化育人活动的开展，其基础是文化和校园文化本身强大的育人功能与作用，学生成长发展的需求是新时代开展校园文化育人活动的客体需要。

1. 人的全面发展思想的中国化进程的研究阐释

人的全面发展思想的中国化进程，在新中国成立后，主要体现在党和国家对教育方针及政策的制定和执行上，体现在党和国家领导人对教育现代化的思考探索和规划上。

一是人的全面发展原理的本土化。它集中表现在它植根于中国传统文化的土壤，特别是与中国传统的全面发展教育思想相融合，成为民族教育思想意识的有机组成部分。人的全面发展学说是相对于人的片面发展的现实而提出来的。唯物史观认为，人类精神和物质劳动的社会分工导致大多

数社会成员处于片面发展状态。作为解放自身的一种战略，无产阶级必须争取受教育的权利，通过生产劳动与教育相结合造就全面发展的新人。新中国成立初期德智体美全面发展的教育方针，镌刻着本土文化传统的烙印。新中国脱胎于半封建、半殖民地社会，因而不可能自然继承到资本主义的物质遗产，反而要受到传统文化特别是儒家全面发展教育思想的影响。春秋战国时期是社会转型的重要阶段，人类经历由原始的全面发展到社会分工造成的片面发展的转折。先哲们关于人类发展前途的激烈争论，成为历史上有名的公案。道家创始人老子坚持无为而治，主张人类回到小国寡民的原始状态中；农家的代表人物许行试图通过与民并耕而食、饔飧而治来消灭劳心劳力的差别；儒家主张入世哲学，孔子认为君子不器，不可片面发展，亚圣孟子认为劳心者治人，劳力者治于人是天下之通义，因而坚持认为善政不如善教之得民，主张通过教育来发展人的多方面才能。孟子认为，君子之所以教者五：有如时雨化之者，有成德者，有达财者，有答问者，有私淑艾者。此五者，君子之所以教也。这种朴素的全面发展教育思想经过两千年的积淀，逐渐形成儒家以德为首、德智体美全面发展的教育思想传统。新中国成立后把全面发展写进教育方针，宣示了它与马克思的人的全面发展学说的承继关系。但是，与人的全面发展原理相比，教育方针仍具有本土化特征：教育方针从人的素质结构来体现全面发展，因而智育和体育非但不是对立的，反而是互相促进的；它把德智体美全面发展当成各级各类学校的教育目标，因而可以通过教育内容和课程体系来实现；它具有相对性和一定的弹性范围，因而可以根据社会的发展和认识的深化不断调整或扩充内涵。这些都可以在中国丰富的传统文化中找到思想根源。

二是人的全面发展世俗化。教育方针史也是人的全面发展原理世俗化的过程。新中国成立初期的教育方针，是中国共产党根据国情独立思考的结果，其特点有三：第一，降格思维，它把人类的发展问题简化为教育问题，因此并不消极等待社会历史条件的自然成熟，经过许多年才去培养能够做所有一切事情的人；第二，逆向思维，它从教育的角度看人类的发展问题，着重强调提高劳动者素质的作用，而不是仅仅立足于消灭私有制和通过劳动分工去创造全面发展的条件；第三，辩证思维，它强调教育促进人的多方面发展的现实可能性，而不是不切实际地追求社会成员全面彻底的发展。

三是人的全面发展制度化，人的全面发展原理的中国化是通过制度化得以实现的。1951年3月召开的第一次全国中等教育会议首次提出智育、德育、体育、美育各方面获得全面发展，随后教育部于1952年3月18日颁布三项规程，分别对中学、小学和幼儿园的教育目标提出了具体要求。以《小学暂行规程(草案)》为例，其第三条明确规定：小学实施智育、德育、体育、美育全面发展的教育。智育方面：使儿童具有读、写、算的基本能力和社会、自然的基本知识；德育方面：使儿童具有爱国思想、国民公德和诚实、勇敢、团结、互助、遵守纪律等优良品质；体育方面：使儿童具有强健的身体，活泼、愉快的心情及卫生的基本知识和习惯；美育方面：使儿童具有爱美的观念和欣赏艺术的初步能力。这标志着人的全面发展思想已经由理想状态进入实际操作层面，以后尽管表述方面略有更动，并且时常出现把全面发展曲解为平均发展或分别发展的现象，但其基本内涵一直沿用至今。1995年《中华人民共和国教育法》颁布后，成为国家意志和教育工作的基本准则。人的全面发展原理的制度化工作主要包括三个方面的内容：一是各级各类学校都明确了教育的具体目标和任务，并据此制定教学大纲、编写教材、制订考核标准、落实教学内容和课程体系；二是建立指导教育工作的党政组织机构，出台一系列指导各育工作的重要政策；三是形成教育科学的分类标准和基本框架，完善以德育论、教学论、体育论、美育论等为基础的中国教育学学科体系。

21世纪初，人的全面发展问题重新受到当代中国马克思主义者的高度重视，并以它为主线全面论述了党的基本路线和历史任务问题。这既是对人的全面发展学说的发展，也奠定了21世纪初教育方针的思想理论基础。

人的理想与建设实践统一。只有经济、社会、文化、生态等各领域都体现高质量发展的要求，才能促进人民全面共享经济社会发展成果。生产力的全面发展是人的自由全面发展的根本途径，自由时间的增加是人的自由而全面发展的先决条件，人的各种需要的广泛满足和人的交往(联系)的丰富是人的自由而全面发展的重要内容。马克思主义认为，只有在生产力获得极大发展的社会历史条件下，每个人才可能在现实社会中具体地历史

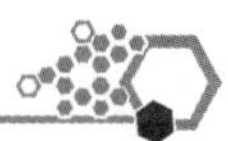

地进行劳动创造，进而实现人的自由而全面的发展。中国是一个农业大国，正在实现国家的工业化和社会的现代化，社会分工将越来越趋于专业化。因此，造成人的片面发展的经济和社会根源并没有完全消除，脑力劳动和体力劳动的差别还将长期存在。但是，这并不意味着人的全面发展原理已经过时或人的发展将更加片面化。相反，社会主义现代化建设可以促进人多个方面的发展。人的全面发展既是远大理想，又是人类历史发展规律。正是由于人们意识到它的规律性，所以就有能力把握它，但不会盲目超越它。《德意志意识形态》中提出，消灭旧式分工是实现人的全面发展的有效途径，指出任何个体都有自己一定的特殊的活动范围。只有在生产力不断发展、充分发展的基础上，逐步消除旧式分工，劳动者才能够逐步从旧式分工中解放出来，进而自由选择自己的劳动、享受劳动带来的乐趣，只有这样，人才能实现全面发展。

人的发展要做到物质文明与精神文明统一。要在发展社会主义社会物质文明和精神文明的基础上，不断推进人的全面发展。这是建设新时代中国特色社会主义历史时期促进人的全面发展的正确途径，也是中国共产党对马克思主义理论的正确诠释和全面发展。

人的发展要做到与社会发展统一。人，本质上是文化的人，而不是物化的人，是能动的、全面的人，而不是僵化的、单向度的人。社会关系的丰富性、全面性决定着人的本质的丰富性、全面性，如果人的社会关系实现全面发展，人自然就会实现全面发展。私有制的消失使性别分工不具有任何社会意义，公私领域不复存在。两性实现真正意义上的平等，男女之间的敌对状态被和谐状态所取代，社会实现高度的和谐，人们的精神境界得到极大提高。与传统私有观念彻底决裂，形成与共产主义公有制相适应的高尚的共产主义道德，确立个人对偶然性和关系的统治，以之代替偶然性和关系对个人的统治。教育是以内在兴趣为学习动力，以人的自由全面发展为目的，可以按照能者为师的原则就地找到师资，让人通过正式或非正式的学习来激发个人潜能，从而获得自我满足，并提升整体生活质量。劳动者都具有较高的科学知识、广泛的专业知识和高尚的道德品质，在体力智力等方面得到自由而全面的发展，尽自己的能力，为社会进行劳动。每个人都以忠诚为他人、为集体、为社会服务和贡献为荣，以自私和贪婪为耻。在劳动性质方面，由于消除资本主义雇佣劳动的强制性质，共产主义社会的劳动实现劳动与享受的有机统一。每个人都可以按照自己的兴趣和特长展现自己的个性和能力，可以根据自身的兴趣、爱好、自由从事活动，交换工作，不再受分工、性别歧视，不必局限在特殊的活动范围内从事某种单一的工作，不必担心失业，可以根据自己的兴趣及发展需要在任何部门自由发展。可以随自己的兴趣担任任何职业，消除把一个人变成农民、把另一个人变成鞋匠、把第三个人变成工人、把第四个人变成投机者的现象。全体社会成员，不会总是做一个猎人、渔夫、牧人或批判者、工程师、科学家、农艺师及其他专门人才，增加和丰富个人的独特性，使社会充满生机和活力。而这种自由的活动反过来又成为提高劳动者能力和创造性，促进生产力进一步发展的动力。

人的发展要做到与素质教育统一。建设新时代中国特色社会主义的各项事业所进行的一切工作，既要着眼于人民现实的物质文化生活需要，同时又要着眼于促进人民素质的提高，也就是要努力促进人的全面发展。这是一个非常重要的判断。它把人的全面发展的理想与素质教育的宗旨联系起来，揭示21世纪初中国教育方针新的内涵。如果站在生产力的高度，把人作为劳动者来考察，那么所谓人的全面发展就是人的劳动能力，即人的体力和智力充分而自由的发展。过去常说中国地大物博、人口众多，但是如果不提高劳动者的素质，众多的人口不仅不会成为人力资源优势，反而会成为经济及社会发展的沉重负担。要切实保证基本普及九年义务教育和基本扫除青壮年文盲，重视和发展学前教育，逐步普及高中阶段教育规模，加快高等教育大众化步伐，分阶段、有重点普及各级各类教育；同时，还要适应学习化社会的需要，建立和完善终身教育制度，积极发挥学历教育、非学历教育、继续教育、职业技术培训等教育的功能，加强普通教育、职业教育、成人教育和高等教育的沟通和衔接，发展远程教育、网络教育等开放教育体系，逐步拓展教育普及的层面和范围，为每一个有学习意愿的社会成员提供多层次、多形式的教育服务，全面提高国民素质，切实促进中华民族的全面发展。

党的十八大以来，习近平总书记对新时代教育问题、新时代人的全面发展进行了一系列探索和思考，提出了一系列新观点、新思想、新理念、

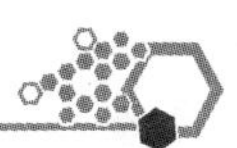

新战略。其中，将人的全面发展表达为德智体美劳的发展，彰显对人的全面成长和健康发展的深刻思考。

关于人的全面发展，是我们党和国家关于教育发展的根本性问题，习近平总书记从中华民族伟大复兴、中国式现代化、教育现代化角度将当代中国关于人的全面发展思想推进到新的高度、新的阶段。

2. 当下中国大学生全面发展不理想的现实情况，彰显了开展高校校园文化育人的必要性、紧迫性

开展新时代高校校园文化育人活动，一个直接的现实原因就是当下中国大学生本身发展的不全面的现实情况。主要体现在以下几点。

一是注重专业知识与专业文化的学习，对其他非专业知识与文化学习的关注不够。就具体情况来看，当代大学生都非常重视专业知识与专业文化的学习与把握，但是对非专业知识与文化的学习把握重视不够，体现出一种学习不均衡发展的特点。比如对英语专业的学习，主要学习英语方面的知识与文化，对非专业的知识与文化比如数学、历史、政治等方面的学习把握积极性不高，这也反映了当代大学生学习生活中的一个主要矛盾和主要张力，这个主要矛盾急需解决。这一矛盾产生的根源在于大学生专业分类学习。只注重专业知识与文化的学习与把握，导致了学生的不全面发展，这种不全面发展是当代大学生专业学习观的反映。

二是注重实用知识与文化的学习，对非实用知识和文化学习的重视不够。从实用与非实用角度来研究分析，当代大学生注重实用知识与文化的学习掌握，比如在对其专业发展有用的知识与文化、对职业和就业发展有用的知识与文化等方面关注和重视更多，而对其他非专业、非职业相关的非实用知识和文化重视不够。这种知识与文化建构的不全面是当代大学生功利主义学习观的体现。

三是从五育的角度来看，注重智育方面的知识与文化的学习，对其他四育方面的知识与文化学习不足。德智体美劳的教育思想的提出和相关政策的出台就是针对当下我国学生在学习上过多关注智力发展，对道德、体育、美育、劳动教育等方面关注不够的理论回应和政策回应。从学生学习的实际情况来看，主要也是围绕着知识和技能的考试进行学习的。这种重视智力教育与学习是当代中国学生应试教育的一个反映。

四是从生活文化的角度来看，当代大学生被娱乐文化侵染太多，对学习传统文化的兴趣不浓厚。从日常生活文化来看，由于手机、网络的方便，当代大学生习惯了网络文化与游戏文化、圈层文化，对其他文化，比如书法文化、体育文化、音乐文化、舞蹈文化、绘画文化、创客文化等兴趣不浓、重视度不高。这反映了当代大学生生活文化的不全面发展，是当代大学生生活娱乐化的一个缩影。

第四节　高校育人质量提升和文化育人效果的提升，需要加强校园文化育人活动的开展

一、高校育人质量提升，需要开展校园文化育人活动

在党和国家提出和实施高质量发展战略后，高校应开始走上高质量发展的道路。高质量育人是其中的重要工作。推动高质量育人工作，需要借助各种教育资源。课程教学是推动高校高质量育人的主渠道和主阵地，除此之外，积极开展文化育人是另一个推动高校高质量育人的长久之道。

挖掘校园文化的德育功能，可以助推高校德育高质量发展；挖掘校园文化的智育功能，可以推动高校智育的高质量发展；挖掘校园文化的体育功能，可以推动高校体育工作高质量发展；挖掘高校校园文化的美育资源和功能，可以推动助力高校美育工作高质量发展；挖掘高校校园文化的劳动教育资源和功能，可以推动高校劳动教育工作高质量发展。

二、文化育人的质量提升，需要开展校园文化育人活动

文化育人作为高校教育发展的重要途径，已经开展多年，其质量高低所受的影响因素很多，其中的关键是依靠什么文化开展教育工作。先进文化、优秀传统文化、革命文化等都是文化育人的重要内容。这些内容可以以不同的形式和载体呈现出来。校园文化是高校除了课堂载体外的主要文化载体，可以注入各种先进文化、优秀传统文化、革命文化等。

对校园文化进行先进文化的注入和拓展，能够更好地助力高校文化育

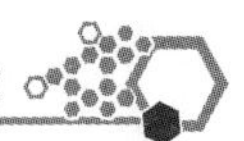

人，以更多的先进文化育人。对校园文化进行优秀传统文化的注入，能够更好助力高校文化育人，以更多的优秀传统文化教育广大青年，在传承创新发展中华优秀传统文化中推动高校文化育人高质量发展。为校园文化注入更多的革命文化内容与元素，能够更好地助力高校文化育人，以红色文化开展文化育人，助力红色文化在广大青年学生群体中代代相传，红色基因代代相传。

第五节　建设教育强国和建设一流大学，需要加强校园文化育人活动

一、建设教育强国，需要开展校园文化育人活动

建设教育强国是建设中国式现代化的要求和主要内容之一，也是重要推动力量之一。建设教育强国的内涵丰富多彩，从办学主体来讲，教育强国要求各级各类各地的学校都要强，幼儿园、小学、初中、高中、大学等要强；从教育主体来讲，教师的思想、知识、价值观、能力等要强，学生的思想、知识、价值观、技能都要强；从效果来讲，就是教学成果、科研成果、培养的学生等要强。

建设教育强国是新时代高校需要贯彻的重大战略。建设教育强国，高校应该大有作为。如何作为，这就关系到如何用好现有的教育资源开展教育活动，提升人才培养质量。课堂教学资源是高校开展人才培养、建设教育强国的重要阵地。校园文化资源也是高校开展人才培养、建设教育强国的重要资源。校园文化育人，可以助力高校提升学科教育、专业教育、思政教育、职业教育以及人文教育水平。

二、建设一流大学，需要积极开展校园文化育人

21 世纪高校的建设目标是建设各类一流大学，包括国际、国家、省级或者区域内的一流大学。要实现这样的宏伟目标，需要高校发动全校的教育资源。这些教育资源本身的建设情况，也是高校建设一流大学的重要指

标。校园文化作为高校的重要资源之一，应该在建设一流大学中发挥重要作用，做出重要贡献。

通过建设一流的课堂文化，推动完善一流大学的课堂教学。通过建设一流的专业文化，助力完善一流大学的专业建设。通过加革命文化和优秀传统文化建设，助力完善一流大学的思政课程和思想政治教育。

第六节　现代大学文化和校园文化本身的建设发展，需要加强校园文化育人活动

新时代高校校园文化育人活动的开展，除了以上阐述的原因外，另一个主要原因就是现代大学文化的建设发展和校园文化本身建设的需要，这也是推动新时代校园文化育人活动的直接原因。

一、建设现代大学文化，需要加强校园文化育人活动

大学文化有一个不断发展的过程，建设现代大学文化是新时代高校建设的重要内容和任务。作为大学文化的一部分，校园文化是建设现代大学文化的重要内容，也是重要形式。建设现代大学文化，必然就要建设好校园文化。

一所高校的大学文化，主要包括物质文化、制度文化、精神文化、行为文化四个部分。积极建设校园文化中的物质文化，可以助力大学的物质文化建设并建构好各类基本的物质设施。建设好校园文化中的制度文化，可以更好地助力大学的制度文化建设，能够建构好学校运行与治理的各种制度规范体系。建设好校园文化中的精神文化，可以更好地助力大学的精神文化建设，能够建构好高校基本的精神文明发展体系。建设好校园文化中的行为文化，可以更好地助力大学的行为文化建设，能够引导广大师生建构好良好的行为习惯、举止和方式，做到言行文明。

总之，通过对校园文化的各个层面文化形态的建设，可以极大推动现代大学文化建设。

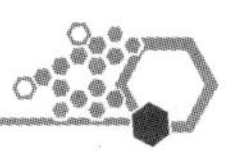

二、建设校园文化本身，需要加强校园文化育人活动

校园文化作为一种文化，本身有一个存在和发展的过程，需要不断建设和发展。如果不注重校园文化的建设发展，一所大学的校园文化就会没有生机，就会停滞不前。从广义上讲，校园文化建设包括一所大学的所有建设；从狭义上讲，校园文化建设主要是包括校园中有形的各类建筑物以及背后的精神文化建设。不论是广义的还是狭义的校园文化建设，都需要精心呵护、踏实耕耘。

三、满足人民美好生活时代下大学生的各类文化需求，需要加强校园文化育人活动的开展

大学生除了成长的需要外，也有自己对新时代美好生活的追求。这也是高校开展文化育人的重要原因之一。

一是专业文化的需求。高校学生的首要需求是专业文化。专业文化的建设需要开发利用学校的各种平台和空间。校园文化育人包含着丰富多彩的专业文化学习资源，可以满足学生对不同专业文化的需求。这就需要学校积极做好高校校园文化的专业文化建设，不断提升校园文化的专业性。

二是思想文化的需求。新时代大学生正处于世界观、价值观和人生观形成及成熟的关键期，对健康思想文化有很强的需求，需要进行及时有效的思想文化洗礼。而进行思想文化洗礼的平台很多，大学校园文化中各种丰富的、健康有益的思想文化，可以为青年学生的思想道德成长发展做出教育贡献。

三是艺术文化的需求。大学生群体也需要休闲文化，如音乐文化、舞蹈文化、武术文化等，这些艺术文化应该大力加以发展，可以为大学生提供丰富多彩的艺术文化。

第三章 高校校园文化育人的历史演变、现状、不足表现及其原因

校园文化作为高校重要的育人资源，可以很好发挥文化育人的作用。各个高校也从不同角度、不同层面对自己的校园文化进行了持续性打造和建设，取得了很多的成果，但是还存在诸多的不足。这些不足，主要体现在文化育人的理念、主体、客体、方式、保障和督导等方面。之所以存在这些问题，原因也是多方面的，主观原因、客观原因、历史原因和现实原因都有。本章将对这些问题进行研究探讨，以便为研究阐释新时代高校校园文化育人工作的改革创新和高质量发展提供一些基础。

第一节 新中国高校校园文化育人的历史演变

高校校园文化育人在我国有着不平凡的经历。根据国家的历史发展，高校校园文化育人大致可以分为以下几个阶段：一是新中国成立初期的高校校园文化育人阶段；二是全面建设社会主义时期的高校校园文化育人阶段；三是改革开放时期的高校校园文化育人；四是新时代的高校校园文化育人。这需要放置到当代中国大学的发展历史角度来审视。因此，有必要先梳理一下新中国成立后到现在中国大学的发展历史。在这个基础上，我们再研究梳理高校校园文化育人的历史发展情形。

一、当代中国大学发展的历史变迁

高校校园文化育人的历史变迁起源于高校本身的历史变迁。研究当下高校校园文化育人的历史发展演变过程，应首先对当代中国大学的历史演

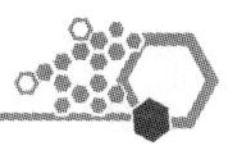

变进行研究和阐释。关于中国大学的历史变迁的研究，一种是从发展规律视角梳理阐释中国大学的发展历史；一种是从历史发展的视角梳理阐释中国大学的发展历史。不同的学者对当代中国大学的历史演变的研究概括做出了不同的研究和阐释。

1. 从发展的哲学高度阐释当代中国大学的发展变迁

对当代中国大学的历史发展进行哲学思考的学者不少，包括从文化角度展开研究思考。其中，从发展逻辑角度研究思考的典型是汪明义(2023)以大学演变发展的根、魂、梦和路等四个关键词建构和阐释了当代中国大学历史演变发展的规律，进行了哲理性的思考和探索。其中，当代大学发展的根来自中华优秀传统文化中的古代高等教育文化，这阐释了当代大学植根中国历史文化的发展逻辑。当代大学发展的魂主要是主导发展的使命和担当，包括对未来发展的愿景设计和努力探索，这阐释了当代中国大学的价值追求和组织文化建构逻辑。当代中国大学发展的梦，是建设一流大学、推动教育强国和助力中华民族伟大复兴，展示的是当代中国大学发展的奋斗目标和前行方向。当代中国大学的路，是当代中国大学选择的前行道路，彰显了当代中国大学从学习苏联到走上改革开放的发展道路，反映了当代中国大学一路走来的艰辛历程。这些逻辑阐释，在党和人民政府不同时期的教育讲话、教育政策、教育思想等方面均有体现。尤其是党的十八大以来，习近平总书记关于教育的重要论述，深刻揭示了新时代高校教育的内在逻辑和发展规律，是当代中国对大学发展演变进行哲学思考的最新成果、最新发展。当代中国大学发展的根、魂、梦和路，从历史逻辑、价值逻辑、理想逻辑与实践逻辑等方面揭示和阐释了当代中国大学发展的基本逻辑问题，也是教育在内的任何实践活动和具体行动都需要关注的核心逻辑。

2. 从大历史的角度来看当代中国大学的历史发展

百余年来是指中国大学发轫至今一百多年的历史阶段。百年前，中国大学在坚船利炮的胁迫下初建，为中国带来了曙光；百年后，随着改革开放后中国经济的快速发展，中国大学得到了进一步的发展。将中国大学的发展放到中国现代化的历史发展来看，中国大学的发展历程是中国现代化建设的教育要求，也是中国教育现代化的主要发展表现。从中国大历史的角度来划分和阐释当代中国大学的发展过程，可以分为四个阶段：一是晚清时期的中国大学发展时期；二是民国时期的中国大学发展时期；三是新中国成立后到1978年的中国大学发展时期；四是1978年至今，改革开放后的中国大学发展时期。

晚清时期是中国现代化的起步阶段，也是中国现代大学发展的起步阶段，这是一条学习西方现代大学建设的起步之路。洋务时期，在学习西方的潮流中，中国大学走上学习英、德等国的办学模式。戊戌变法时期，在学习日本变法的背景下，中国开始学习自己曾经的“学生”——日本的教育模式和大学发展模式。清末，在全面学习西方的变法背景下，中国走上学习德、英、美等国的教育和大学办学模式。在这一阶段，中国大学发展格局初步形成三足鼎立的形态，官办大学、民办大学、教会大学等均有所发展，与当时中国中小学、幼儿园教育发展格局基本一致。

民国时期是中国现代化的艰难行进时期，对中国大学来说，也是中国现代大学艰难发展的阶段。这阶段主要是学习英、美、德等国教育与大学办学模式的时期。而在抗战时期，高校内迁运动可以说是中国现代历史的教育长征，艰难办学创造不凡成绩，北大、清华、南开、浙大等大学在抗战中艰辛办学，其中，民国四大名校即国立中央大学、国立西南联合大学、国立浙江大学和国立武汉大学，成为当时中国高校发展的典范，为新中国成立后高校的发展奠定了一定的基础。

民国时期发展具有特色的是教会大学。19世纪末期，西方基督教会开始在中国创办一些高等教育机构，最早具有现代意义的教会大学是创办于1879年的圣约翰书院(1905年更名为圣约翰大学)。到了20世纪20年代之后教会大学已具相当规模，分布在华北、华南、华东、西南各地。教会大学在中国教育近代化过程中起着示范与导向作用。因为它在体制、机构、计划、课程、方法乃至规章制度诸多方面，更为直接地引进西方近代教育模式，从而在中国社会产生了深远的影响，教会大学是中国近代教育史不可缺少的重要篇章。当然，教会大学有它的两面性，从其建立初期就带有教育殖民、文化殖民的特点。

从新中国成立到1978年，是党领导下新中国发展的前半段时期，也是当代中国大学教育的发展时期。这一阶段是在政府主导下确立社会主义办

学方向的关键时期，也是开启中国特色社会主义教育的奠基时期。这一时期大致经历了两个阶段，第一个是改制阶段，第二个是学习苏联阶段。改制大学的一个基本走向就是围绕国家对专业化人才的需求，将综合性大学调整改制为专科大学，特别重视理工科学校的发展，对文科学校重视不够，并已经开始学习苏联的办学模式，专业划分非常细化，虽然适应当时的需要，但是学生的知识与技能面不广阔。改制完成后，在我国全面学习苏联的时代背景下，亦开始全面学习苏联的高校教育办学模式，形成集中的教育管理模式，虽然促进了当时国家建设对人才的需求，但是在一定程度上影响了当时中国大学生活力的释放。

1978 年至今，是改革开放背景下的中国大学现代化发展阶段。1978 年的十一届三中全会开启了当代中国的改革开放，这一场改革从经济领域发展到现在的全面改革，教育领域的改革也逐步提上改革的日程。大学教育改革发展具有特别重要的意义，在指导思想、办学模式、学科分类、招生改革、就业改革、教学改革与教师管理的改革、学生管理的改革等方面都取得了很多的成果，为新时代中国特色社会主义背景下当代中国大学的中国式现代化做出了重要的贡献。如今，中国进入特色社会主义新时代，当代中国各行业的发展也进入到新时代。这十年高校取得了历史性成就，发生了历史性变革，产生了历史性影响，从学生人数、教师人数、学校数以及研究成果等方面，都创下了历史新高，我国已是全世界办学规模最大的国家之一，成为走在世界前列的教育创新国家。与百年前中国大学建立于国家救亡图存之际的发轫相比，与百年前中国大学创立的时代背景相比，新时代中国大学的建设与发展，是在国家综合实力壮大的宏大背景下发生的，有着更伟大的目标和意义。当下我国高校在中国式现代化道路上正奋力推动高等教育现代化，力图走好中国式教育现代化的康庄大道。

在以上不同时期，党和国家根据教育、国家发展的实际情况和需要，积极开展教育治理和教育建设，陆续出台了一系列的教育政策，包括高等教育发展的相关政策。从这些政策的出台、演变和完善，也可以发现和研究当代中国大学教育发展演变的制度逻辑。这是一种通过教育政策工具来研究和阐释我国高等教育发展的历史变迁，阐释教育政策如何引导高等教育发展、前行和演变的方法。

二、当代中国大学校园文化育人的历史发展过程

在阐释清楚大学的历史发展过程后，我们就可以从中把握高校校园文化育人的历史脉络。在文化强国的今天，校园文化育人已经成为新时代高校的一道亮丽的风景线。回望其历史发展过程，道路是非常艰辛又不平凡的。基于不同时代背景给予相应的支持，我国的高校文化育人因此经历了多个不同的发展阶段。可以从改革开放角度对其进行诸多阐释和研究。

1. 高校校园文化的变迁过程在一定程度上反映了改革开放的全貌

改革开放在中国大地铺开，涉及各个行业、各个组织。高校作为当代中国社会发展的一个重要阵地，自然会受到影响。高校本身也是改革开放的一个重要阵地，一个主要的参与者、见证者。受到改革开放的影响，高校发生了一系列的变化，由此带来了校园文化的历史性变化，展现了改革开放的强大力量和发展进程。总体看来，高校校园文化的变迁，主要表现为从宏观到微观、从理想到现实、从单一到整合、从严格到宽容、从外倾到内倾的大致发展趋势，并始终沿着正弦曲线的波动变迁。这种变化，不仅反映了改革开放的变化，还在一定程度上成为不同时期高校校园文化的主旋律。

一是高校校园文化的内容变迁影印了改革开放的社会特征。从 20 世纪 70 年代末开始，我国进入了以改革开放为鲜明特征的社会发展阶段。在这个从传统社会向现代社会转型的过程中，社会变革以前所未有的广泛性和深刻性震撼着社会政治、经济和文化观念领域，表现为深度的系统变革。追逐着社会改革的历史进程，高校校园文化将改革开放的主题内容和历史进步的时代烙印深深地熔铸在变迁发展之中。从以经济建设为中心、三个代表与科学发展观到五大发展新理念的思想进入高校，校园文化也发生了很大变化，从过度功利性的校园文化到人民性、科学性的强调，再到五大发展新理念的引导，高校校园文化反映了整个时代发展的鲜明特征。

二是高校校园的热点变迁见证了改革开放的历史进程。伴随改革开放的伟大进程，高校在与社会进行观念对接和信息交换中，不仅较早感知到改革开放带来的变化，而且以校园热点变迁的方式来展示深刻而伟大的社会变革。纵观改革开放的历程，我国高校校园文化的核心价值观念历经了

三个发展阶段，并孕育和形成了与改革开放相适应的核心价值追求，见证了大学生价值取向不断变迁的历史轨迹。

“自我”价值的萌发动摇了“无我”的传统观念。20世纪80年代初，伴随改革开放而来的是高校学生对世界、社会和人生进行自发的思考，高校学生开始了对世界、人生和社会的反思。基于改革开放对高校校园的深刻震撼，传统义利观、生命观的困惑与现实的校园文化激烈对撞，高校开始了对“自我”存在的现实拷问。高校借助西方文化思潮对人的本性探讨深入到了对经典性的人生价值范例的深度质疑。同时对传统文化所提倡的极端的固有价值内涵提出了异议，并对传统价值标准进行了重新审视。相对传统文化价值观念中绝对利他的价值诉求，自我价值的萌发无疑是巨大的历史进步。但是，在改革开放之前，由于高校在价值求解中难以排解偏激的情绪困扰，盲目仰望西方思潮华丽的外衣，忘记了脚下踏着的是古老的中国土地。在价值追寻中脱离现实和实际，因而暂时迷失了方向，高校价值取向的天平在否定传统的观念中，不可避免地向着“利己主义”“自我中心”方向倾斜。

市场热潮中的实用性价值重塑。20世纪90年代初，市场经济体制的渗透式影响突破高校的藩篱，以迅猛的势头冲击着计划经济体制下的高校，“市场热”在各个高校不断升温。在文化精神层面，高校以崭新的姿态全面融入市场经济体制之中，按照市场经济规律进行新的价值观念重塑。“市场”热潮迅速蔓延高校校园的各个方面，影响到学生的饮食起居，引导着学生的思想情感和心理状态，制约着学生的生活方式、行为选择和核心精神，进而从外而内地深刻影响校园文化的各个层面。在“市场”强力的渗透式影响下，校园文化的价值取向开始趋于实用性和功利性，高校校园逐步淡化对纯理论探索和学理式生活的仰慕和关怀，对未来的向往呈现出多元复杂的价值取向。

全新的价值体系在综合素质热潮中得以构建。自20世纪90年代后期开始，伴随改革开放的深入发展，社会的开放和全面发展趋势为高校校园文化提供了更为丰富多样的发展环境。尤其是加入WTO以来，面对滚滚而来的全球化浪潮，高校渐渐认识到应该全面地看待世界，全面地认识“自我”，努力从多种角度塑造自己，以便全面实现“自我”。在市场竞争背景下，高校自身核心竞争力的高低，大学生综合素质的优劣，在高校里成为人们关注的热点，“综合素质热潮”由此悄然兴起。大学生对大写的“人”和人的全面发展投入关注，“素质教育热”从主客观两个方面促动校园内新价值体系的全面变迁和构建。

2. 高校校园文化变迁发端于改革开放的动力助推

校园文化变迁的强大推动力，和其他行业一样，就是伟大的改革开放。这一强大推动力推动了校园文化的发展变化，不同层面的改革对校园文化系统产生了不同层面的影响。

依据历史唯物主义原理，经济的前提和条件是决定性的，每个时代的经济发展状况对当时包括文化在内容的一切社会现象都具有决定意义。因为，一切的社会意识形态都要依赖并受制于社会生产方式，生产方式决定社会生活的各个方面，生产方式对校园文化变迁的决定作用正是通过影响社会生活的各个方面实现的。追根溯源，文化的变迁是以经济的变化发展为核心的。基于经济基础决定上层建筑的内在规律，社会变革和发展不仅加速了社会历史进程，而且强烈地影响和改变了人们的思想行为、社会关系和社会意识，并引起社会文化价值观念的深刻变迁。市场经济既是一种经济形式，也是一种文化表现。文化作为一定经济条件下对人的价值理念、生活方式和行为方式的设计，并不只是经济表面的装饰物，而是内化于经济的人文力量。所以，市场经济的建立与完善，一方面要求实现文化的转型；另一方面也要求建立起与新的经济形势相适应的文化背景，作为新的经济发展的根源动力。20 世纪 80 年代以来，在经济体制改革的道路上，面对生产方式日新月异的态势，市场经济在观念层面带来了诸如竞争意识、风险意识、公正意识、效益意识、创新意识等的进步，以平等、独立、自由、竞争为核心的新型价值观在主流文化中确立。

经济领域的市场化改革，给高校校园文化带来了市场文化，这种文化也存在一定不足，需要及时矫正。

政治领域的改革，为高校带来更多民主、自由的气息，这种现代政治文化，极大地调动了广大师生的积极性、主动性和创造性。

文化领域的改革使各类文化产品层出不穷、各类文化服务丰富多彩，极大丰富了高校校园生活，促进高校校园文化多样化发展。

对外开放是高校校园文化变迁的催化剂。几十年的对外开放就是中国打开国门审视世界，不断融入全球一体化的历程。在对外开放中，有两种全球化力量深刻影响着文化的变迁，即文化的全球化和经济的全球化。

对外开放过程，就是外来文化、产品、思想不断融入本国的过程，必然带来文化全球化和经济全球化发展。

文化全球化给高校带来各种各样的文化。从国别来看，由于对外开放政策，全球所有国家的文化都走进了高校，尤其是发达国家的思想文化走进当代中国的校园，这是一个不争的事实。从发展程度来看，主要是西方现代文化进入了当代中国的高校。西方现代文化的进入，带来了学生思维方式的改变，带来了学生价值观的变化，带来了学生生活习惯、学习习惯、交往习惯等方面的变化。一种追求现代、时尚的观念，已经成为当代中国高校校园文化的一个走向。不可否认，西方的一些不健康的文化也开始入住高校，这引起了党和国家的高度重视，因此颁布和出台了很多关于大学生教育的文件，颁布并执行了高校马克思主义意识形态建设的重要政策，有力规范了高校校园文化的发展。当然，外来文化对不同专业、不同性格和不同爱好的同学，带来的影响是不一样的。整个高校校园文化逐渐发展为以一种文化为主导，多样化文化共同发展的态势，那就是马克思主义占据主导地位，外来文化、中国文化、革命文化和其他文化等多方面发展的文化格局。

文化全球化的影响是巨大的，但经济全球化的影响是其根本的基础。作为一种强大的经济力量，经济全球化带来高校学生消费意识、消费思想、消费习惯的变化，也带来就业意识、就业观念、就业追求的变化，更带来生活方式的变化。经济全球化带来了很多先进的经济文化，这些文化对大学生的成长发展和高校的发展是有利的，但是也带来一些不健康的东西，比如资本逻辑、市场逻辑等，这些经济之上的文化的入驻，影响了高校校园文化的健康发展，尤其是给当代大学生世界观、人生观、价值观带来了巨大的冲击和影响。在传统与现代、中国与西方文化之间，一些高校学生一度陷入迷茫。可以这样讲，经济全球化带来很多先进的文化，但是也带来很多负面的东西，需要我们好好规避和克服，积极应对。

总之，改革开放给当代中国高校带来了很多的变化。一是现代的物质、精神、政治等文化产品的进入。二是现代思潮的进入，尤其是西方的思想入住学校。三是对外交流的增多，高校对外交流也逐渐开展起来。这些变化在给当代中国高校校园文化带来积极影响的同时，也难免带来一些消极的影响。这是今后高校推动校园文化育人中必须要高度注意的地方。

第二节　当下高校校园文化育人的现状调研

校园文化育人现状，可以从教育系统论的角度展开研究，在调研的基础上，对之进行分析。改革开放以来，文化的力量在社会各项事业中不断凸显，党和国家不断加强文化软实力建设。在高校思想政治教育理论研究与实践发展中，文化育人取得显著成绩。文化育人是对高校思想政治教育文化蕴涵的深刻把握，是对高校思想政治教育文化力量的有效运用，同时也是对高校思想政治教育发展动力的积极探索。梳理改革开放以来高校文化育人的发展历程，总结经验，是新时代高校文化育人创新发展的重要着力点。

一、改革开放以来高校文化育人的历史回顾

从历史学的视角审视高校校园文化育人的发展变迁，伴随高等教育的改革发展和国家的要求，我国在不同时段先后进行过多项重大改革创新活动，比如新中国成立后开展的辅助专业教育的文化生活、改革开放初期围绕拓展学生学习内容进行的第二课堂、20 世纪 90 年代注重从健康育人和精神文明建设的角度展开的校园文化建设与育人工作、新时代注重教育强国下校园文化建设和多种形式的创设和开展等。一路走来，这些改革创新活动展现出高校校园文化在助力学校专业教育、学生工作、科研工作、后勤管理、对外交流等方面发挥的作用，也提出了推进高校校园文化育人活动要积极坚持包容创新的态势，积极开展改革创新，从内容到形式上加大改革力度，从改革创新去寻求发展的强大力量。

1. 丰富学生文化生活，助推专业教育更好开展

这一阶段是改革开放初期的中国大学校园文化发展的情况概括。这一

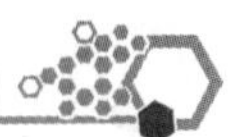

时期校园文化育人面临的背景是学生对专业知识和技能的渴求成为高校学习文化发展的主旋律。这是恢复高考后最初几年高校学生学习生活的主要情况。同时，这几届学生结构非常复杂，很多大龄青年、已婚青年进入高校学习，给学校管理教育带来一定的难度和挑战。因此，这一时期，高校校园文化主要是以解决学生精神生活的匮乏，助推学生专业发展为主要基调推动起来的。

这一时期，高校校园文化育人的工作陆续开展起来。这项工作的开展，一方面，是推动校园文化育人工作队伍的建设与发展，在党和国家及其相关部门的指导下，加大高校文艺团队的建设和培养，各类社团陆续成立，各类活动陆续开展；另一方面，就是生动活泼的校园文化生活逐渐开展起来，从这一时期开展情况来看，主要是积极开展纯正的文艺活动、红色文化教育及政治教育活动、锻炼学生专业能力与职业能力等方面的活动。改革开放初期，校园广播成为青年学生的精神家园，《每周一歌》《校园新闻》等经典广播节目成为当时青年学生业余生活不可或缺的一部分。校园集体舞拉近了青年学生的距离，满足了青年学生接受新鲜事物和社会交往的需要，给他们的校园生活留下了温馨、浪漫的回忆。各类社团蓬勃发展，文学社、吉他协会等社团使广大青年学生的精神世界和文化生活得到丰富。这些具有鲜明时代特征的活动成为改革开放初期高校校园文化的重要组成部分。

2. 注重拓展第二课堂，加强素质教育

改革开放后的第一次教育工作会议推动了我国素质教育不断发展。1985 年 5 月，邓小平在全国教育工作会议上指出，我们国家，国力的强弱，经济发展后劲的大小，越来越取决于劳动者的素质，取决于知识分子的数量和质量。随后出台的《中共中央关于教育体制改革的决定》明确指出，在整个教育体制改革过程中，必须牢牢记住改革的根本目的是提高民族素质，多出人才，出好人才。

所谓素质教育，主要是指重视人的思想道德素质、能力培养、个性发展、身体健康和心理健康教育，其中最为重要的就是提升学生的思想道德素质。针对素质教育的总体要求，如何提升青年学生的思想道德素养、如何丰富素质教育的形式，成为当时高校面临的重点问题。

以第二课堂为支撑，提升青年学生的综合素养。第二课堂是指在学校教学计划规定的教学活动之外，组织和引导学生开展的各类有意义的课外活动，包括知识性的、学术性的、文艺性的、健身性的、公益性的育人实践，它是第一课堂的重要补充。1982 年 12 月，中国共青团第十一次全国代表大会在北京召开，会议指出，全团要集中力量，采取一切为青年喜闻乐见的方式，大力加强理想教育、道德教育、文化教育、纪律和法制教育，不断提高青年的思想觉悟和文化素质。

高校共青团组织结合学校实际、学生特点，组织开展丰富多彩的第二课堂活动，丰富青年学生的业余生活，提升青年学生的思想道德素养和科学文化素养。

高校积极丰富和拓展第二课堂。一方面，广泛开展社会实践活动。1987 年 4 月，共青团中央、国家教委、中国科协和农牧渔业部联合发出《关于在中学开展实践教学活动的意见》，指出实践教育活动的目的在于丰富学生课外活动，使学生在了解实际、学习实践的过程中，培养科学素质和创造精神，增强对社会的适应能力，为他们树立理想和实现理想开辟现实可能的途径。在相关部门的共同努力下，各高校纷纷组织开展了社会调查、社会服务、科技兴趣小组等社会实践活动，使青年学生在实践活动中不断提升个人素养。另一方面，广泛开展校内外文体活动。1985 年 10 月，中共中央发布的《关于进一步加强青少年教育、预防青少年违法犯罪的通知》指出，“共青团、工会、妇联和学生会要根据青少年的爱好和兴趣，积极开展各种健康有益的、丰富多彩的活动。

高校校园文体活动不断丰富扩展，质量不断提升，第二课堂的育人效果不断增强。

3. 发展校园文化，提升教育质量

重视校园文化在思想政治教育中的作用。1990 年 4 月，中国群众文化学会、中国高等教育学会、中国教育学会、共青团中央宣传部在北京联合召开新中国成立以来的首次校园文化理论研讨会。与会代表就校园文化的内涵、意义、功能、发展规律和建设途径等问题进行了探讨，认为青少年是文化最积极的追求者、最热情的缔造者，文化的影响无处不在，在学校开展丰富多彩、健康有益的文化活动是一项非常重要的工作。这次关于校

园文化的理论研讨会厘清了校园文化建设过程中的一些基本理论问题，从一定意义上讲，对高校校园文化建设研究进行了破题，开启了高校校园文化建设的时代步伐。

党中央及教育部门不断加强高校校园文化建设。1993 年 3 月，党的十四届二中全会强调，要积极开展健康有益、生动活泼、丰富多彩的思想政治教育和文化活动，用高格调的精神产品去提高人们的境界、陶冶人们的情操。1994 年 8 月，中共中央下发了《关于进一步加强和改进学校德育工作的若干意见》，强调重视校园文化建设，要大力开展学生喜闻乐见的丰富多彩、积极向上的学术、科技、体育、艺术和娱乐活动，建设以社会主义文化和优秀的民族文化为主体、健康生动的校园文化。1995 年 11 月，国家教委颁布试行的《中国普通高等学校德育大纲》指出，校园文化建设是德育的重要途径之一。

至此，校园文化建设被写入中央文件和国家教委文件，成为高校思想政治教育的重要组成部分，这对于高校思想政治教育的创新发展起到了巨大的推动作用。

《关于进一步加强和改进大学生思想政治教育的意见》及其配套文件为高校校园文化建设提供了重要遵循。其中明确指出，校园文化具有重要的育人功能，要建设体现社会主义特点、时代特征和学校特色的校园文化，形成优良的校风、教风和学风。大力加强大学生文化素质教育，开展丰富多彩、积极向上的学术、科技、体育、艺术和娱乐活动，把德育与智育、体育、美育有机结合起来，寓教育于文化活动之中。

2004 年 12 月，教育部、共青团中央联合印发了《关于加强和改进高等学校校园文化建设的意见》，对高校校园文化建设的总体要求、主要任务做出规定，强调要重视和加强校风建设、积极开展校园文化活动、加强校园人文环境和自然环境建设，努力营造良好的育人氛围。

这两个重要文件明确了校园文化建设在高校思想政治教育中的地位和作用，提出了高校校园文化建设的基本准则。

4. 增强文化蕴涵，凝聚大学精神

积极推进大学章程建设。制度文化是大学文化的重要组成部分，是高校文化育人的重要组成部分。随着高等教育制度建设的不断深入，以大学章程为代表的大学制度文化在高校文化育人中发挥了重要作用。1995 年颁布的《中华人民共和国教育法》明确规定，设立学校及其他教育机构，必须具备“章程”等基本条件。这是我国教育法律首次对学校提出制定章程的要求。1998 年颁布的《中华人民共和国高等教育法》规定，申请设立大学应当向审批机关提交章程等内容，并在第二十八条中明确了高等学校章程应当规定的事项。这两部法律对大学章程建设提出了根本规定，尤其是其中关于内容的规定成为日后大学章程建设的重要遵循。此后，教育部开始着力开展大学章程建设。《国家中长期教育改革和发展规划纲要(2010—2020 年)》明确指出，加强章程建设。各类高校应依法制定章程，依照章程规定管理学校。2011 年出台的《大学章程制定暂行办法》明确规定了大学章程的基本原则、主要内容、制定程序以及核准监督，为高校章程建设提供了实施指南。此后，全国高校开始制定、完善大学章程，并先后向全社会发布。大学章程的制定和完善，一方面，反映了新时期我国高等教育积极探索创新发展之路，不断提升我国高等教育的现代化管理能力和管理水平；另一方面，为我国高校文化育人工作开辟了一条新的路径，对发挥高校制度文化育人功能具有重要作用。

深化培育大学精神和大学文化。进入 21 世纪，党和国家不断重视大学精神和大学文化建设，培育大学精神、发展大学文化成为高校文化育人的主要表现。2004 年，教育部、共青团中央下发的《关于加强和改进高等学校校园文化建设的意见》强调，要继续实施“大学生全面素质教育工程”，把人文素质和科学精神教育融入高等学校人才培养的全过程，落实到教育教学的各环节。《国家中长期教育改革和发展规划纲要(2010—2020 年)》指出，积极推进文化传播，弘扬优秀传统文化，发展先进文化。2012 年，教育部下发了《关于全面提高高等教育质量的若干意见》，指出，秉承办学理念，确定校训、校歌，形成良好校风、教风和学风，培育大学精神。相关文件的出台，充分表明党和国家对发展大学文化与培育大学精神的重视，大学精神的培育与大学文化的发展也成为这一时期高校的重点工作内容。

5. 创新教育形式，提高教育实效

文化育人成为高校思想政治教育的重要形式。一方面，理论界开始关

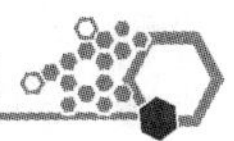

注文化育人、以文化人的问题。一批关于文化育人、以文化人的学术成果相继刊出，受到相关部门和学术界的高度关注，文化育人、以文化人成为高校思想政治教育创新发展的重要议题。另一方面，在党和国家的高度重视下，文化育人成为高校思想政治教育的重要形式。2016 年 12 月，习近平总书记在全国高校思想政治工作会议上明确指出，要更加注重以文化人以文育人，广泛开展文明校园创建，开展形式多样、健康向上、格调高雅的校园文化活动。2017 年 2 月，《关于加强和改进新形势下高校思想政治工作的意见》强调，把思想价值引领贯穿教育教学全过程和各环节，形成教书育人、科研育人、实践育人、管理育人、服务育人、文化育人、组织育人长效机制。党中央、国务院以及相关部门已经将文化育人作为新时代高校思想政治教育的一个重要形式，它也成为构建高校全过程育人、全方位育人工作机制的一个重要着力点。

文化育人具有丰富的时代蕴涵。首先，对高校文化育人中的“文化”有了更加深刻的理解。在高校文化育人中，首先要明确以什么样的文化来育人这个问题。以科学的文化培育人，有利于青年学生的成长成才；以腐朽落后的文化培育人，则有可能将青年学生引入歧途。新时代高校文化育人，着重强调中华优秀传统文化、革命文化以及社会主义先进文化的传承与发展，强调对鲜活的中国特色社会主义实践活动的体现和运用，具有鲜明的时代特征。其次，对高校文化育人的载体有了新的要求。校园文化作为高校文化育人的重要载体，需要对校园文化建设进行必要的引导。习近平总书记指出，要“开展形式多样、健康向上、格调高雅的校园文化活动”，既是对校园文化建设提出的基本要求，也是新时代校园文化建设的突出特征。最后，高校文化育人实践具有更为丰富的表现形式。新时代，我国文化事业和文化产业发展迅速，大学校园中的文化生活也越发丰富多彩，高校文化育人实践的表现形式也越发多样。比如，从简单利用网络载体到运用网络大数据，再到运用互联网思维完善高校思想政治教育，高校网络文化育人正从表层运用走向深层发展。交际舞会在逐渐消失，动漫角色扮演、骑行、露营等活动不断涌现，它们在高校文化育人中也发挥着重要作用。

二、改革开放以来高校校园文化育人过程中取得的成果研究与阐释

高校校园文化育人在国家改革开放、高等教育改革发展的推动下，取得了很多硕果。这些硕果主要体现在以下几方面：一是从大学生层面来讲，满足了大学生多样文化汲取的需求，丰富了其文化生活和精神家园，促进了大学生全面发展和健康成长；二是从校园文化本身来讲，促进了高校及其校园文化本身的多样化丰富化发展；三是从教学层面的影响来讲，能促进了学校教学质量的提升；四是从思政教育角度来讲，能极大丰富了思想政治教育的文化形式。

从大学生层面来讲，满足了大学生多样文化汲取的需求，丰富了其文化生活和精神家园，促进了大学生全面发展和健康成长。高校校园文化育人的中心是育人，即培养大学生，因此，其发展的主线始终是围绕大学生的健康发展和各种需求开展的，这是以人为本、人民中心理念在高校校园文化育人中的体现。近年来，高校根据党和国家的教育方针和要求，以改革开放为前行动力，积极推动高校改革发展和创新，从对准学生的需求出发，对校园文化育人工作进行了大量探索，特别是对校园文化育人的形式、内容进行了大量大胆的改革创新，广泛吸收各类先进文化、健康文化，丰富了学生的业余生活，满足了学生的精神文化需求，提升了精神文明素养。

从校园文化本身来讲，促进高校及其校园文化本身的多样化、多元化发展。改革开放后，高校校园文化发展经历了一个治理、发展的过程。面对多元化多样化的外来思想文化入驻高校校园，面对这些文化的挑战、冲击和考验，如何建设健康的校园文化就成了当代中国高校校园文化发展的一条主线，坚持守正创新，一路前行。从应对复杂的文化局面，走到今天以建设中国特色社会主义文化为主导的校园文化发展格局，从形式到内容，从载体、平台到方法，都展现了从传统到现代、从一元到多元、从单一到综合创新的发展格局。高校各类学生社团的出现与活动的开展，各类主题班会活动的开展、各类大型晚会和专项活动的开展、丰富多彩的假期

实践活动、课余开展的学校学院层面的实习研习见习活动、校地合作的支教活动等，都大大丰富了校园文化的发展内容和形式，促进了校园文化本身的发展壮大。

从教学层面的影响来讲，促进学校教学质量的提升。高校校园育人的推进，不是单兵前行，而是与学校的教学工作、学生工作、教研科研工作紧密相联。改革开放以来，高校校园育人工作更是以保持开放的态势，积极结合学校的各项工作、协同学校的各项工作，在这些结合、协同中助推学校整体教育质量的提升。一方面，积极配合学校的教学工作，积极开展各种形式的专业文化活动，提升教师教学文化和学生专业文化素养；另一方面，积极配合学校学生工作，积极开展学生人文知识和技能的培养，大力提升学生的人文素质等方面的水平。其中，更为关键和核心的是，通过校园文化育人活动，为教师的教学工作开展、学生的学习活动推动等方面提供了很多相辅相成的教育大餐，从而促进了高校教育质量的提升。

从思政教育角度来讲，极大丰富了思想政治教育的文化形式，推动了高校思想政治教育的改革创新。思想政治工作历来被党和国家、高校高度重视，一直在改革开放中探索前行、创新前行。改革开放以来，高校思政工作也踏上不断改革创新的教育征程。尤其是在教育内容和教育形式上进行各种大胆的、有益的探索。其中，三全育人理念体系的十大育人体系、课程思政及大思政课的开展、大中小思政课教育一体化的发展等都是高校思想政治教育积极探索的主要话题。在这些探索中，高校校园文化积极瞄准机会，根据情况，对准需要，积极协助学校思政教育工作，以各种校园文化的形式助推高校思政工作的改革创新、助推高校思政工作质量的提升，尤其是推动高校思政工作以文化的形式开展教育活动，极大提高了高校思政改革创新的境界和质量，同时校园文化育人工作也获得了更多的发展空间，获得更多的认可度。

第三节　目前高校校园文化育人存在的不足、困难的阐释

关于高校校园文化育人的不足，可以从多个角度审视。不同的角度审视，会有不同的收获和发现，也会找寻到不同的改革创新和完善的路径。从系统论角度，可以审视高校校园文化育人的整体情况；从管理学角度，可以审视高校校园文化育人中的管理职能发挥情况。

一、系统论视角下高校校园文化育人不足的体现

一是育人理念上的不足。这一方面的不足，主要体现为高校校园文化育人工作中对人本化理念、科学化理念、创新理念、质量理念等的坚持和融入不太充足。

二是育人主体上的不足。这一方面的不足，主要体现为高校校园文化育人主体的革命文化素养、优秀传统文化素养、科技文化素养、专业文化素养、职业文化素养等方面的储备不均衡，参差不齐。

三是育人内容上的不足。这一方面的不足，主要表现为高校校园文化育人内容上整合建设不足，缺乏长远规划、整体规划，表现出大学文化建设的不成熟。

四是育人方法和平台的不足。这一方面的不足，主要体现为高校校园文化育人实体平台和方法用的较多，网络平台与方法开发利用的不充足。

五是育人的保障和督导上的不足。这方面的不足，主要表现为高校校园文化育人的人力、物力、财力与相关制度保障不充足，专项的质量评价体系和督导体系建设滞后。

二、管理学视角下高校校园文化育人不足的体现

一是在计划职能上，校园文化育人开展的计划性不足。从管理的计划职能考察当下高校校园文化育人的情况，调研发现，虽然很多高校对校园文化建设有一个长期的规划，但是对推动校园文化育人工作缺乏整体的规

划安排。

二是在组织职能上，校园文化育人的各个因素调动不够。从管理的组织职能角度考察高校校园文化育人的情况，调研发现，一般高校在人、财、物等方面资源都有调动组织，但是专门负责的机构及其职能分工等方面做得不够。

三是在协调指挥上，校园文化育人的各个阵地、各个群体之间的协调不足。从管理的协调职能考察高校校园文化育人的情况，调研发现，高校在协调各个部门、各个群体参与校园文化育人方面做得不足，尤其是后勤部门、学工部门与教学部门等之间协调协同不足。

四是在控制职能发挥上，校园文化育人整个过程的控制管理不足。从管理的控制职能考察高校校园文化育人的情况，调研发现，一般高校对自己学校校园文化育人工作的控制不严格，没有形成专门的、及时的运行控制体系。

三、全面质量管理视角下审视高校校园文化育人不足的体现

一是以人为本理念上的贯彻落实不足。用以人为本理念来考察高校校园文化育人的理念体系建设，人本化理念在高校校园文化育人的一些环节和某些方面上坚持不足，比如在内容建构上，便没有很好地针对中学生群体的需求建构内容体系。

二是全员参与上的不足。以全员参与的主体要求考察当下高校校园文化育人工作的主体力量，调研发现，从宏观上，高校所有师生都参与校园文化育人工作，但从微观上，实际参与校园文化育人的人数情况并不理想。

三是质量监控上的不足。以质量监控来考察当下高校校园文化育人情况，调研发现，高校对学生工作、教学工作、教研工作、科研工作、对外工作、社会服务等方面有专项的质量监控体系，但对校园文化育人工作缺乏专项的质量监控体系，弱化了其高质量发展的前行动力。

第四节　多维度剖析当下高校校园文化育人不足的原因

对原因的分析，可以从多维度进行。一是可以从系统论角度开展研究，校园文化育人活动的每一个要素建设与作用发挥都是影响其活动质量和效果的因素，突出了研究要素层面的原因；二是可以从管理学角度开展研究，具体调研校园文化育人管理中的计划、组织、领导、控制等职能发挥和过程把控，突出了研究管理层面的原因；三是从社会学角度来审查，可以从不同的机制角度研究校园文化育人不足的原因，突出了研究机制运行层面的原因；四是在全面质量管理视角下审视高校校园文化育人存在不足的原因；五是在教育心理学的视角下审视高校校园文化育人存在的不足及原因。从这些不同学科视角审视当下高校校园文化育人存在不足的原因，可以为提出和阐释新时代高校校园文化育人的改革创新路径提供一些启示。

一、组织社会学视角下审视高校校园文化育人不足的体现

一是效率机制上的不足。这方面的不足，主要体现在高校校园文化育人工作中，没有进行成本与收益之间的核算，缺乏一种有执行效率的运行机制，在一定程度上导致了公共资源的浪费。

二是合法性机制上的不足。这方面的不足，主要体现在高校校园文化育人工作中，关于校园文化建设制度、校园文化育人的专项制度建设上不足，影响校园文化育人工作合法性基础的不断增强。

三是关系网络机制上的不足。这方面的不足，主要表现在高校校园文化育人工作中，相应校园文化育人的运行网络不太发达，影响了校园文化育人范围的全覆盖。

二、系统论视角下高校校园文化育人不足的原因研究

从系统论角度审视，高校校园文化育人理念不足的背后，是育人的价

值取向问题，这是育人的自觉性不足。高校校园文化育人内容不足的背后，是育人视域的广阔性不足。高校校园文化育人平台和方法上不足的背后，是育人手段掌握和理解运用的不足原因。高校校园文化育人保障供给不足的背后，是育人重视不足。高校校园文化育人督导与评估不足的背后，是育人管理不足。

三、管理学视角下高校校园文化育人不足的原因研究

从管理学角度审视，高校校园文化育人不足背后的原因可以做如下解读：高校校园文化育人有条不紊不足的背后，是文化育人的整体规划不足。高校校园文化育人各个部门、各个群体协同不足的背后，是文化育人需要的各种资源调动不足。高校校园文化育人的各自为政不足的背后，是文化育人的协调指挥不足。高校校园文化育人的整个运行过程监控不足的背后，是文化育人所需要的监控制度体系不完善和措施不到位。

四、社会学视角下高校校园文化育人不足的原因研究

从社会学角度审视，高校校园文化育人不足背后的原因可以做如下解读：当下高校校园文化育人资源浪费的背后，是文化育人的效率机制不健全。高校校园文化育人的认同度不足的背后，是文化育人的合法性机制不健全。高校校园文化育人各个阵地的连接乏力不足的背后，是文化育人的校园网络机制不健全。

五、全面质量管理视角下高校校园文化育人不足的原因研究

从全面质量管理的角度审视，高校校园文化育人不足背后的原因可以做如下简单的解读：以人为本理念的贯彻落实不足的背后，是高校管理部门的管理本位所致。全员参与不足的背后，是高校所有教职工的育人自觉性主动性不足。文化育人的质量管理不到位的背后，是高校管理部门的质量管理意识不到位。

总之，高校校园文化在当代中国大学发展中一路走来，经历了非常不平凡的过程，值得回访和借鉴。放眼当下，高校校园育人存在不足的表现

和原因可以从不同学科角度进行审视，有不同的阐释和理解。这些不同的阐释和理解，能为以后研究新时代高校校园文化育人提供不同的路径以供选择思考，更能为现实行进中的校园文化育人的改革创新和高质量发展提供不同的借鉴和启示。

第四章　以教育的现代化推进新时代高校校园文化育人理念的完善

教育理念是教育行动的先导，是确保教育健康发展的思想前提。推动高校校园文化育人发展，必须要坚持先进的理念建设先行。教育现代化的理念是推动高校校园文化育人理念的主导理念。科学化的育人理念、五大发展新的教育发展理念、三全育人理念、五育并举的育人理念等都是新时代高校校园文化育人理念体系建设需要注重的理念资源。本章主要从理念层面研究新时代高校校园文化育人的改革创新路径，旨在于中国式现代化道路上推进校园文化育人理念的改革创新和完善。

第一节　理念、教育理念和教育现代化的基本理论阐释

本节的研究阐释遵循这样的逻辑顺序，在研究阐释清楚理念、教育理念的基础上，阐释教育现代化这一宏大的、具有高度概括性浓缩性的理念。

一、理念的基本理论问题阐释

1. 关于理念概念的基本解读

理念是一种观念形态的东西，反映的是一项活动开展的基本思路、基本规划和基本的价值走向。比如我国提出的五大发展理念，就是在经济领域中开展各项工作和发展的基本思路和基本价值追求。再比如教育理念、

学习理念、人生理念、交往理念等分别是在教育活动中、学习活动中、人生发展中、日常交往活动中所保持的一种基本思想、基本观念和基本思路。

2. 理念具有的基本特性

第一，任何一个理念都具有自己的行业属性，要反映行业的发展规律和内在要求。这是从理念所在行业归属角度来阐释和研究的。比如政治发展中的民主自由理念、经济领域中市场理念、文化中的交流理念、社会中的共享理念、文明中的共生理念、强军中的党的领导理念、外交中的人类命运共同体理念等，都是反映和彰显该理念所在行业的特性、基本要求、基本原则性的东西。这是在提出理念时，必须要考虑到的行业属性。

第二，理念具有较高的概括总结性，这主要是从话语表达来看，其表达一般都是非常简洁简短，用简洁的语言文字表达呈现出来，符合人类认知的特点和要求。比如社会主义核心价值观，一共二十四字，十二个词，每一词语就是对一个基本价值追求方面的概括：富强一词，概括总结了我国经济领域发展的基本理念；民主一词，概括总结了我国政治领域发展的基本思想；文明一词，概括总结了我国文化领域发展的基本思想；和谐一词，概括我国社会领域发展的基本思想。这是我们提出理念的时候，必须要考虑到其语言表达形式和受众的接受规律。

第三，理念具有客观真实性。这主要是从理念与客观现实的关系角度来阐释和研究的。任何一个理念的提出都是基于客观现实需要的提出，并且要能够反映客观现实发展的基本逻辑，如果是一种虚假的理念，那就不叫理念，叫谬误。比如五大发展理念的提出，就是反映了我国经济社会发展中的基本事实，反映了我国经济社会发展必须遵循的基本规律，这也是我们在提出理念的时候，必须要考虑到这一点。

第四，理念具有基本高度理性化的特点。这是从观念的发展层次角度来阐释的。人的观念主要有两个层次，一个是感性层次的认识，一个是理性层次的认识。理念就是一种到达了理性高度的基本思想和基本观念、基本认识。比如五大发展理念中的每一个理念，都是对所在行业发展的理性化认识，不是停留在感性层次的认识。社会主义核心价值观中的每一个理念，也都是从理性高度提出了各个领域应该坚持的基本原则性内容、基本

价值追求上的内容。

第五，理念具有自身内在的逻辑性。这主要体现在理念反映事物或者某一行业时，具有一定的内在逻辑顺序和规律。比如五大发展理念，每一个理念都具有自身的内在逻辑，创新理念反映的是人与社会关系方面的逻辑问题，绿色理念反映的是人与自然关系方面的逻辑问题，共享理念反映的是人与改革发展成果之间的逻辑问题。社会主义核心价值观的每一个方面，都反映了对应所在行业的内在逻辑性。

第六，理念具有高度的深刻性。这是从理念本身的内涵上来阐释的。任何一个理念都具有这个特点。这是与理念的高度理性化相关的一个特点。正因为理念是一种理性化的认识，在反映客观事物时候，要能够触及客观事物的内在本质性东西，所以有较强的深刻性。

第七，理念具有一定的灵活性。这一方面的特点，主要是理念所采用的话语格式方面具有很强的弹性余地。理念的表达，可以是两个字，也可以是三个字，还可以是四个字，没有统一的独断规定。比如科学发展观的基本内涵体系中，每一方面就用不同的字数来概括基本理念。五大发展理念中，每一个方面就用两个字提炼概括对应方面发展的基本思想和基本原则。

二、教育理念的基本理论阐释

任何一种行动，或者一项工作都有自己的理念。教育，作为人类生存发展的重大行动，具有自己的理念。教育理念，就是教育行动中所遵循的基本原则、所奉行的基本价值取向。在阐释教育理念的基本理论时，我们应该首先把握理念的基本理论问题。

从内容上，教育理念来自教育理论，属于一种教育理论的核心思想。到目前，全世界占据主流地位的教育理论有人本主义教育理论、建构主义教育理论、行为主义教育理论、自然主义教育理论、实用主义教育理论、生活教育理论、全人生指导理论、合作教育理论等。同时也可以从其他行业的理论引入新的教育理念，比如管理学上的质量管理理论、目标管理理论等。这些理论都蕴含了诸多的教育理念。比如人本主义教育理论中核心教育理念就是以人为本。建构主义教育理论中的教育理念是主张师生互动。行为主义教育理论中的核心教育理念是做中学。自然主义教育理论中的核心教育思想就是以学生为中心。实用主义教育理论中的教育理念是学生为中心、师生平等、学以致用、教育与实际相结合等。合作教育理论中的核心教育理念就是合作教育思想。

三、教育现代化的基本理论阐释

1. 教育现代化的概念、内在要素和特征的阐释

教育现代化来自现代化的概念体系，教育现代化是现代化事业中的一个主要分支。从概念上阐释，教育现代化是教育发展的一个基本走向，是教育发展的一个基本要求，是相对以往传统的教育而言的。从内在本质上看，教育现代化是教育领域的一次伟大转型，是从传统的教育转到现代化的教育发展轨道上，是在整个国家现代化的基础上开展的教育领域的现代化。从要素上来看，教育现代化不仅仅是一种理念，还是一种行动。

现代化在各领域具有自身的特点。教育现代化作为整个现代化体系的一个分支，也具有自己的特征。首先，教育现代化要求教育事业发展要具有普及化的基本特点，不然教育现代化就失去其本身的服务人类的意义，反映了教育的公益性特征要求。其次，教育现代化，还要求教育要覆盖到一个人的一生，体现了教育现代化覆盖的时间跨度。再次，教育现代化内在包含的教育创造性和创新特点，体现了教育要培养个性化人才的要求。最后，教育现代化一个核心的特点就是教育的信息化，除了基本的物质条件的现代化外，信息化是教育现代化的升级版，是更高层次的现代化。

2. 教育现代化理念的结构研究与阐释

教育现代化理念内涵丰富，其内在结构是十分复杂的一个系统性概念。

一是教育现代化理念，要求教育必须要立足现实，与各个行业的实际发展相结合。教育现代化理念，要求教育的发展不能脱离现实发展的需要，必须要紧跟各行业对人才的需要开展教育活动，同时教育的现代化要求教育的内容和方式要走向社会，采用一种大教育的方式和思路推进教育发展。

二是教育现代化理念，要求教育要全面化发展，不仅要开展科学的教

育，还要开展提升人的人文素质的教育。这一方面的要素构成，主要是从教育的内容发展上要全面化、整体化推进，不能走向偏差化、不均衡化，要注重德智体美劳等各个方面素养的培育。不仅仅要强调对学生进行自然科学、社会科学的教育，还要进行广泛的人文教育，培养学生的人文素养、人文思想、人文精神气质。

三是教育现代化理念，要求教育体系中各个要素都要现代化，各个层次的教育都要现代化。这是从教育涉及的领域和构成要素角度来阐释和研究的。从要素讲，教育现代化理念包括了教育思想的现代化、教育主体的现代化、教育客体的现代化、教育内容的现代化、教育载体的现代化、教育方法的现代化、教育保障和督导的现代化等要素，体现教育现代化理念是一个全面发展的理念体系。从领域来看，教育现代化理念，包括学前教育现代化理念、小学教育现代化理念、初中教育现代化理念、高中教育现代化理念、大学教育现代化理念、研究生教育现代化理念等，展现了教育现代化是涉及各个层次的现代化理念体系。

四是教育现代化理念，要求教育要遵循现代化的基本要求。教育现代化理念，内在包含了必须要遵循现代化的基本要求和基本规律等，这是教育现代化理念提出和实施的一个基本逻辑前提和条件。

3. 教育现代化的世界进程

从全球的角度看，教育现代化有一个世界历史发展演变过程。这需要从世界教育发展历史和世界现代化发展历史来研究和阐释。教育现代化，是在经济现代化、思想现代化的基础上一步一步发展起来的，其中的重大标志是教育理念的现代化、教育内容的现代化、教育方式的现代化、教育队伍的现代化等。具体说来，教育现代化的世界进程，在内容上表现从神性走向科学化的发展轨道，将各类科学的教育都纳入到现代化教育的范围内开展，增加了外语课程的教学内容和时间，减少了宗教课程的教学内容和时间。从教育的组织形式来看，教育的组织更为规范化，开始出现班级授课的组织形式，为大量培养人才提供了可能。

4. 教育现代化的中国进程

关于中国教育现代化的进程，可以从 1840 年开始算起。不过，学术界一般的研究和阐释是从新中国成立后开始算起的。第一阶段，1949 ~ 1978

年：酝酿阶段。第二个阶段，1978~1982年：教育现代化的正式提出。第三阶段，1983~20世纪末：教育现代化的有序推进。第四阶段，21世纪初至今：深化阶段。步入21世纪，中国教育现代化在配合、带动经济发展的实践中，逐渐回归人本价值取向，走上了有规划、有目的的自觉自为的发展道路，开辟了以教育强国、实现中华民族伟大复兴为目标的新时代中国式教育现代化征程。

关于中国教育现代化的本质特征的阐释，教育现代化是整个国家现代化事业体系中的一个重要分支，具有基础性、根本性和全局性的作用，对整个现代化事业、民族伟大复兴起着强大的人才支撑作用，以及思想引领、精神动力支撑等作用。其本质上的特征是反映整个现代化的本质特征，说到底就是现代转型的问题。

教育现代化的创新路径，是一个从传统走向现代的过程。传统与现代有联系，更有区别，现代是对传统的推陈出新，是一个不断打破旧东西、创造新东西的过程，是一个与时俱进的不断创新的过程。这个创新过程展现中国教育现代化经历这样的一个路径：独立之上追求自由、自由之中回归人本、人本之后尊重科学。

第二节　建构科学化、制度化的文化育人理念

一、教育科学化的基本理论及其精神理念的坚守路径研究

教育从经验走向科学化发展的轨道是近代以来的教育大事。科学化，是与非科学化相对的，与经验化相对的一个概念。其内涵就是必须要遵循文化发展的规律、文化育人的规律、教育的规律以及学生成长发展的规律。

坚持贯彻文化育人科学化理念的路径，要求在推动高校校园文化育人工作科学化发展中，必须要考察和把握文化育人的内在逻辑、高校教育的内在逻辑、学生成长的各种规律等，以此不断提升新时代高校校园文化育人的科学化水平。

二、制度化育人的基本理论阐释及其精神理念的坚守对策

制度化育人的内在含义，就是高校校园文化育人需要一套制度体系来规范、引导，方能常态化、规范化、长效化发展。

坚持贯彻文化育人制度化理念的路径，要求新时代高校校园文化育人工作中，必须坚持制度化推进的现代化教育理念，针对校园文化育人的各个环节和各个细节，建构好相应的制度规范体系，这样才能让校园文化育人得到规范化发展。

第三节　建构五大发展理念的新时代文化育人理念

五大发展理念是当今中国发展的坚定选择，这种理念在国家层面更多是指向经济领域的。这个理念也可以引入到教育领域，作为新时代高校教育的理念。

一、创新、协调、绿色、开放、共享的发展理念的基本理论研究和教育意义

五大发展理念是对科学发展观的继承与发展，主要解决经济发展的五大短板问题。其中创新理念，解决发展的推动力不足的问题。协调理念，解决发展的不均衡问题。绿色理念，解决发展的可持续问题。开放理念，解决发展的空间问题。共享理念，解决的是发展的公平正义问题。五大发展理念，不仅是经济社会领域发展的基本要求，其实也是对当代中国各项事业现代化发展的基本要求。作为中国式现代化的人才支撑、科技支撑的教育伟业，也必须要坚持五大发展理念。

五大发展理念具有深刻的教育意义。在五大发展理念成为党和国家各项工作、各项事业的基本要求的时代大背景下，教育行业必然会坚定选择五大发展理念来推动教育的改革创新、推动教育的现代化事业发展。对教

育领域发展来说，坚持和选择五大发展理念，具有特别的内涵和要求。第一，创新发展，旨在让教育充满活力，通过各个方面的创新，为教育发展前行提供强大的持久动力。第二，协调发展，旨在推进教育整体优质均衡，注重教育的区域结构、层次结构、内容结构、教师队伍结构、教育方法结构等方面的协调平衡发展。第三，绿色发展，旨在提升教育的幸福品质，推动教育可持续发展。第四，开放发展，旨在使教育更加包容自信，拓展教育发展空间。第五，共享发展，旨在让教育更好地服务全体人民，展现教育的公平正义。

二、坚持创新的文化育人理念的原因与路径

创新发展的新理念对教育的一个根本启示就是，教育要做到不断创新，方能获得前行的不竭动力。具体到校园文化育人工作来说，新时代高校校园文化育人工作应坚持创新发展的育人理念，持续不断对教育内容、方法等方面进行改革创新。

三、坚持绿色的文化育人理念的原因与路径

绿色发展的理念对教育的一条根本启示就是教育要做到可持续发展，要做到注重节约资源和健康发展。具体到校园文化育人工作来说，新时代高校校园文化育人应坚持绿色发展的新理念，努力做到节约教育资源，注重开发健康有益的教育内容，以此推动文化育人绿色发展。

四、坚持开放的文化育人理念的原因与路径

开放发展的新理念对教育的启示，就是教育发展不能封闭、独守孤岛，必须要在立足自我、自立自强的前提下，积极开展对外交流，在开放中发展。具体到校园文化育人工作来说，新时代高校校园文化育人必须坚持开放发展的教育理念，坚持对内的教育开放，积极与校内相关教育工作进行交流分享，积极与其他学校文化育人工作进行交流，以此推动校园文化开放式发展。

五、坚持协调的文化育人理念的原因与路径

协调发展的新理念对教育的启示，就是教育要协调发展，避免不均衡发展。具体到校园文化育人工作来说，新时代高校校园文化育人工作开展必须要做到坚持协调发展，与学生的专业教育、职业教育、通识教育等教育协调起来，形成一种协调发展的教育联动机制。

六、坚持共享的文化育人理念的原因与路径

共享的发展理念对教育的启示，就是教育要坚持公平正义，让每一个学生都享受好的教育。具体到校园育人工作来说，新时代高校校园文化育人工作开展中，务必要注重面向每一学生，让每一个学生都能享受到文化育人的教育大餐。

第四节　建构三全育人的校园文化育人理念

三全育人理念主要是针对高校思政教育工作提出的一种教育理念和模式，其实也可以沿用到学校整个教育工作中去。文化育人工作是作为十大育人体系的重要组成部分提出的一种教育模式，理应贯彻落实三全育人的要求，落实到校园文化育人的每一个思想、每一个细则和行动上。本节将研究和阐释基于三全育人理念的校园文化育人的基本理论与实践问题，以便服务现实的运行。

一、三全育人的基本理论研究

1. 高校“三全育人”的内涵

三全育人具有丰富的内涵，各有侧重点。其中，全员育人，主要是指教育的主体协同联动上如何形成一个教育行动共同体的基本理论与实践问题。全程育人，主要是指教育的整个过程，各个环节、各个教育链条上要形成一个一体化的完成教育过程。全方位育人，主要是指教育的阵地建设上，要形成一个整体，将所有教育场域、教育阵地协同联动起来，在教育

横向空间上做到全覆盖。

全员育人的理念，主要是指向教育行动共同体建设的理念，应该主要从教育主体建设来思考和探索这一教育理念。全员育人主要是针对思政教育主体运行和建设情况提出的一种大思政教育理念。这个理念也适合其他方面的教育，尤其是对校园文化育人。其内涵是指，教育主体不能仅仅圈定在一般的教师队伍领域中来建构，应包括专任教师、行政教师、辅导员教师、后勤服务与管理的教职工等在内，应形成一种促进学生成长的各类教育行动共同体，这是一种大教育的主体构建与运行理念。这一教育理念的提出和实行，对包括新时代高校校园文化育人在内所有教育活动的主体建构与运行具有重要意义和参考价值。

全程育人的教育理念，主要是从教育的纵向过程来构建，需要从教育运行的纵向链条的建设上进行思考和探索。学生的成长是需要时间积淀的一个周期的过程，全程育人就是基于学生成长发展的历史过程提出的一种过程教育理念，这种过程教育理念要求立足学生从进入学校到离开学校，乃至学生毕业后上班的时间段，这一时间段的各个教育链条之间应该形成一个联动的整体运行态势，这样方能推动学生在成长上积累积淀。这一过程教育理念，对包括新时代高校校园文化育人在内的所有教育活动的开展的过程管理和运行监控都具有重要的现实启发和价值意义。

全方位育人的教育理念，主要是从教育横向的空间覆盖上来构建，需要从教育空间的联动协同建设上加以思考和探索。一个完整的教育行动，需要各个教育场所、教育阵地的协同作战。全方位育人的教育理念提出与实行就是基于这样一个基本的思路。这一教育理念对包括校园文化育人的所有教育行动的空间建设与运行都具有十分重要的作用和价值。

2.“三全育人”理念的坚持贯彻和深化路径

这一教育理念提出已经有多年，各地也在纷纷开展落实，但是整体情况不理想，这主要表现了教育行动的三全教育理念实行存在一些难点和障碍因素。因此，从理论界、学术界到实务界，都需要进一步探索和努力。

3. 三全育人对新时代高校校园文化育人的诸多启示

高校校园文化本身具有非常持久的教育作用，这是大力推动校园文化建设的根本价值所在。这些教育作用，具体体现在推进学校管理工作、教

学工作、教研工作、科研工作、学生工作、校地合作工作等方面都具有潜移默化的价值与意义。在系统论视角下审视，高校校园文化可以包括学校的任何一部分。因此，实施三全教育理念具有重要价值，三全教育理念对新时代高校校园文化育人活动开展一样具有重要价值和意义。

高校拥有众多的教育资源，这些教育资源都可以归属到校园文化的开放利用范围。正因为这样，高校校园文化的内容和形式都应该是多样化的，任意一个教育资源都可以开展文化育人工作。文化是一个大概念体系，实质上十大育人体系都可以归为文化育人体系范畴，以文化角度开展思考与运行，以文化育人的角度开发各类教育资源的教育价值和作用，可以形成百花齐放春满园的教育发展图景和发展生态局面。高校有庞大的人力资源，不仅包括教师队伍和管理队伍，还有人数众多的、开放的、充满朝气的学生，他们将是三全育人的重要力量和主体力量。校园文化领域，包括各个教育阵地，本身的历史发展和学生成长的历史发展走向，都需要从时间的维度注重对校园文化进行全过程的开发利用，对学生的发展成长进行全过程的教育引领；校园文化本身包括各个教育阵地和场所的建设情况，本身建设需要各个场域协同推动，这些场域教育功能和价值的发挥需要协同推进，学生生活在不同的场域，这就是要具体落实好全方位育人的理念，让这种理念变为一个个真实的教育行动。

以三全育人为指导，做好校园文化育人活动的基础性工作和顶层设计。首先，需要根据新时代教育强国和校园文化育人的需要，做好校园文化建设的基础性工作，这些基础性工作主要包括三全育人中涉及的三个方面，抓好教育主体的建设，抓好教育主体基本的文化素养建设、教育能力建设、专业素养建设与职业素养建设，抓好每一个教育的过程设计和环节设计，注重教育的过程管理与监控，抓好各个教育场地的基础建设，比如教室、寝室、食堂、操场与各个锻炼场所、实训场所等的基本设施设备的建设，对标学生教育成长的需要，从安全到质量上加大管理和建设。其次，要做好新时代高校校园文化落实三全育人理念的初步规划和设计，提高校园文化育人活动的预备能力和预备质量，其中，全员育人理念落实的关键在于要在做好教师队伍和学生队伍的建设，同时，设计建构起校园文化育人的行动共同体，这就需要设立专门的统筹组织机构，这样才能有高质量的集体行动。全方位育人理念落实的关键在于，以文化强国、教育强国、人才强国为强大推动力，积极做好高校校园内部各个教育场域的文化建设、科技建设，同时建构起各个场域的联动机制，形成教育场域的联动组织。全程育人理念落实的关键在于对大学生进校后的各个时段主要的成长需要和教育对策进行一个长时段的考虑和规划设计，建构一个校园文化育人的纵向教育链条。

在做好新时代高校校园文化育人落实三全育人理念的顶层设计和基础性建设的构想后，关键在落实到具体的行动路径上。一是要从管理学的视角，做好高校校园文化育人的计划、组织、领导、控制和创新，让新时代高校校园文化育人落实三全育人理念做到有管理。二是从行为主义角度出发，推动高校校园文化育人各项活动按照三全育人、培养全人的需要，真正开展行动起来，真抓实干，奋力前行，要有为、善为、敢为。三是坚持系统思维，积极推动新时代高校校园文化育人活动以三全育人理念落实为契机，与其他教育活动、教育理念、教育行动、教育任务协同，不断提升其存在和发展的合法性基础。四是坚持问题导向，以问题带动教育创新，以问题带动新时代高校校园文化育人活动各个环节的创新发展，以创新的校园文化育人推动学生成长、学校发展和教育强国、文化强国。

二、坚持三全育人理念的现实原因

在校园文化育人中要坚持三全育人的理念，一个现实的原因就是因为三全育人理念在高校校园文化育人中坚持不足。其中，全过程育人理念坚持不足，主要体现为校园文化育人理念没有很好贯彻到学生成长的各个时段。全方位育人理念坚持不足，主要表现为校园文化育人理念在高校各个阵地的协同发力不足，课堂、校园、寝室、食堂等各个场域的文化育人的联动机制没有健全。全员育人理念的不足，主要体现为在高校校园文化育人中，往往是学工人员直接参与校园文化育人，其他教师参与不足。

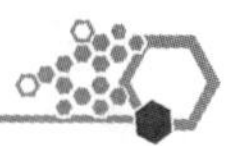

三、坚持全过程文化育人理念、全方位文化育人理念和全员协同的文化育人理念的路径完善

针对三全育人理念不足的现状，新时代高校校园文化育人开展要牢牢坚持全员育人理念，建构各个群体参与文化育人的协同联动发力机制，让人人有文化育人的自觉、主动和担当。坚持全过程育人理念，针对大学生成长的每一环节、每一个时段，进行文化育人的分时段教育，让大学生时刻感受到校园文化育人的强大魅力；坚持全方位育人理念，将校内各个场域、教育阵地，不论线上还是线下的各个教育平台都开发利用起来，形成联动的文化育人格局，以此达到校园文化育人全覆盖。

第五节　坚持五育并举与融合发展的校园文化育人理念

德智体美劳五育并举融合发展的教育理念已经提出多年，在学术界、理论界和实务界都引起了巨大的反响，结合自身工作，纷纷开展探索和研究。这一教育理念，主要是针对学科教育和思想政治教育提出的，应该适合学校中的各项教育活动开展。因此，新时代高校校园文化育人活动必须要积极回应，主动将五育并举、融合发展作为自己的教育理念和行动的价值追求。本节在研究阐释五育并举、融合发展的基本理论与实践问题的基础上，研究其对新时代高校校园文化育人活动开展的价值与实施路径。

一、五育并举与融合的基本理论研究

1. 五育并举主要是侧重从五育的独立价值而言

五育并举的提出和实施是有针对性的背景的。这主要是针对我国长期以来应试教育下形成的重视知识、学科的教育，忽视学生道德教育、健康卫生教育、审美教育和劳动教育的偏差性发展的时代情况而提出的，也是针对当下功利主义教育发展进行矫正的全新教育理念，同时也是五育并举

这个教育理念的重大时代价值和时代意义。

从概念内涵上看，五育并举就是讲的教育活动中必须重视德智体美劳五种教育，不能只管其中一种教育或者两种教育，这五种教育都必须要重视，不能用一种教育或者两种教育将其他教育代替了。这也是针对我们现实教育过程中已经存在这些问题而提出的这一重要教育理念。

从教育的内容和价值来看，德智体美劳五种教育活动都具有各自的教育任务、教育内容、教育要求、教育规律和教育价值。从名称就可以初步了解这五种教育各自的任务和内容，德育，主要是对学生进行各种道德教育，旨在引导学生成为有道德修养的时代新人；智育，主要是对学生进行学科知识和思维能力的培养的教育，旨在引导学生成为有知识有头脑的时代新人；体育，主要是针对学生身心健康而言的一种教育活动，对学生进行各种身体锻炼的教育，旨在引导学生成为一个身体健康的时代新人；美育，主要是对学生进行各种美的教育，包括自然美、社会美、人文美等方面的教育活动，旨在培养学生审美品质、做一个讲究美和追求美的时代新人。劳动教育，主要是对学生进行劳动观念、劳动思维、劳动精神、劳动素养、劳动技能等方面的培育，旨在引导学生成为一个有劳动素养的时代新人。这五种教育在学生全面发展和健康成长中都具有各自的价值和作用，不可偏废，应该并举推动，一起前行。

从哲学高度来审视，五育并举体现的是一种全面发展教育观。按照一些学者的理论，这是一种全人教育思想的体现。德智体美劳五种教育之间，虽然是独立的，但并不意味着各自为政。各自为政发展的教育模式，不符合全面教育的思想，也不符合学生全面发展、全面健康的理念。马克思主义哲学中的联系观，其实就是一种系统观、整体观，要求不论开展什么活动，都要注重整体推进。因此，五育并举的教育理念，体现了马克思主义哲学体系中的联系思想和整体思想。

2.“五育融合”发展的理念是就五育的渗透相关性角度而言

五育并举整体推进，是要重视五种教育的价值和行动。五育融合发展的理念，是要重视五种教育之间的相关性和互动性，注重五种教育的协同互动、共赢前行的教育思想。

从提出的背景来看，“五育融合”是针对五育相互分离、各自为政的教

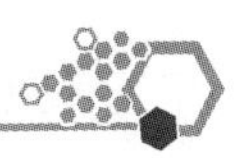

育发展情势而提出来的。有研究者指出，德智体美劳五个方面从理论上来看，各有其本质特征，各有其内在要求。但在实践层面，德智体美劳五个方面是一个相辅相成、相互渗透、不可或缺的有机整体，五育都有其自身的特点和在教育中的功能作用，各部分都不可能孤立地对学生发生作用。五育融合发展，体现的是对五种教育之间互不关己的独角戏教育模式问题矫正的有力回应，也表明了为什么要积极开展五育融合发展的时代背景和现实基础。

从概念名称上来看，“五育融合”的关键点在于“融合”上。有研究者指出，真正的“融合”是融通、渗透和整合，是“各育”之间的彼此渗透，是“你”中有“我们”、“我”中有“你们”。融合是将两种或多种不同的事物合成一体的意思。“融”字有固体受热变软或化为流体的含义，因此融合并非将两个事物简单地叠加。“融”字有渗透、交融的含义，还有调和、和谐的含义，说明合在一起最终结果是两个事物达到平衡、和谐。“五育融合”不是各育逐渐趋同、互相取代，也不是某育包含另一育，而是各育相互借鉴、吸收，达到一种平衡与和谐。各育完全趋同或者一育吞并另一育，都破坏了五育的多元性和独立价值，在尊重五育的多元性基础上达到差异化的和谐共处，这才是真正的“五育融合”。融合发展的关键之处在于，五种教育要形成一种相互协作、相互帮助、互相参与的大教育发展格局。

从作用发挥和价值体现来看，五种教育各自有自己的价值和作用，但是各自的价值和作用不可能完全独立发挥。从教育发展的规律上讲，五种教育之间本身不可分开，是为了教育的简便开展才开始进行分开教育，但是实际过程中不可分开，任何一个教育行动都是应该承载这五种教育。从学生全面发展和成长来看，学生全面发展和成长不仅是道德品质的成长发展，而且是身心全面发展，行动和思想的全面进步，因此，五种教育模式也契合学生全面发展需要，从这个角度讲，也绝对不可能分开进行。

从教育行进的过程等看，五育融合发展主要是指五种教育不能各自为政，必须要协同方能创新共赢。这实质上体现的是一种教育共赢和协同教育的思想。五种教育中的任何一种教育的高质量前行，都不可能是仅仅只重视本身，应该将五种教育融合在一起，以一种正在进行的教育为主，带动其他教育发展，以其他教育发展提升主要教育的质量、品质。具体说来，在德育中可以渗透融合其他教育，在体育中可以渗透融合其他教育，在美育中可以渗透融合其他教育，在劳动教育中可以渗透融合其他教育，在学科教育中可以渗透融合其他教育。五种教育融合发展才能促使教育的生态更加良好。

3.“五育并举”与“五育融合”两大教育的相关性分析

五种教育之间的关系如何自处和互动，早已经成为学术界、理论界和实务界关注的一个热门话题。到目前为止，讨论研究比较成熟的就是五育并举、五育融合发展的教育关系。这两种教育理念，各有侧重点，各有其提出的时代背景和教育形势，两者之间不是对立的，而是统一的、相互联系的。五育并举是前提、条件和基础，没有五育并举，就没有五育融合发展的提出和实施。五育融合发展，是五育并举的一个延展和深化，也是具体贯彻落实。

从提出的时间先后来看，五育并举最先提出，五育融合发展是后提出来的。这反映了学术界、理论界和实务界对五育之间的关系认识的一个处理过程。这两大教育理念，均涉及三个基本问题，一是教育内容是什么，二是教育原因，即为什么，三是教育办法，即怎么办。这三个问题是研究阐释和解决五育并举、五育融合发展两大教育理念相关问题及其相互关系的关键所在。

4. 当下“五育融合”发展的实际推进情况审视

五育融合发展的现实推进情况，可以从学术界研究、理论界阐释和实务界操作运行等三个方面来研究阐释。

从学术界研究来看，当下学术界对五育融合发展的原因与背景、理论基础、实施路径等方面均有一定的研究，但是整体看来研究的广度、深度、力度等有待深化。尤其是对这种教育理念的现实应用的案例分析与推广研究进行程度有待强化。在整体的分析框架上还没有共识，搭建还不够。

从理论界的阐释来看，当下理论界对五育融合发展还没有形成一套完整的理论体系，也就是体系化、学理化还远远不够。在一定程度上，也反映了学术界对这个问题研究还不够成熟，因此导致理论界还没有进行一个完整的提炼总结。

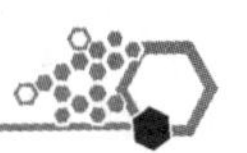

从实务界操作运行来看，当下五育融合发展，主要在初中小学开展较多，主要应对素质教育的发展，在高中和大学的场域中虽有提倡，但是实际操作困难、阻力重重，基本停留在纸上、挂在口头上、写在文件上。五育融合发展的教育理念实行起来难的原因，不是教师不愿意，也不是学生不愿意，根子在于应试教育问题上。因此，要真正推进这种教育理念的深入落实和贯彻实施，必须要从根本上改变人才选拔考试的办法才行。

5.“五育融合”的内涵审思

“五育并举融合育人”的阐释，及“五育”的存在机理表明，“五育”即“德、智、体、美、劳”这五育。德育是“五育”核心，包括道德教育、政治教育、思想教育、法治教育等，目的在于“教人为善”；智育主要指系统传授知识、技能及发展智力和创新力，目的在于“教人求真”；体育要求提高认知、培养习惯、增强体质、健康成长，目的在于“教人健体”；美育即审美、情操、心灵教育，要引导学生认识美、感受美、欣赏美、表达美和创造美，培育正确的审美观念，目的在于“教人臻美”；劳动教育即发挥劳动的育人功能，对学生进行掌握劳动知识、发展劳动能力、培育热爱劳动的劳动人民的教育活动，目的在于“教人在劳力上劳心”。为什么“五育融合”的“五育”是“德智体美劳”呢？可以从以下几个方面思考：一是顶层设计，即国家政策推动的结果，自建国后到20世纪末，“德、智、体”一直存在于教育方针的表述中，之后“美”“劳”也逐步被列入国家的教育方针中。二是从古至今，从国内到国外，许多教育家、思想家的观点中就含有“五育”因素，符合相应的学理基础。就“德”而言，中国古人讲究天人合一、身心合一、知行合一，如孔子主张“德不孤必有邻”等。国外典型约如苏格拉底学派主张“知识即美德”等。三是“五育”之间紧密联系，具有相互渗透、相互促进的内在特性，可实现“五育互育”“五育共生”。例如，美育可“增加德育的高尚之美，增加智育的理性之美，增加体育的健壮之美，增加劳动的创造和灵巧之美”；反过来，智育可“益美”、德育可“促美”、体育可“健美”、劳动教育可“逸美”。

“并举”的“并”为会意字，隶变前其形象有两种说法：一种观点认为“并”指两个人并排站在同一横线上，表示二人站在同一地面之上；另一种观点认为其指横线把两个人的腿部连绑在一起，表示把两个或几个物体合并成一个。《说文解字全鉴：珍藏版》提出“并”字本义为“相合并”，又引申为“并列、在一起、同时”，并将“并举”解释为“同时举办，一起进行”。因此，词源意义上“并举”有两层意思：一是同时存在且放在一起，二是具有合并、归一之意。依照上述解释，“五育并举”既有“德智体美劳缺一不可”之意，又暗含“德智体美劳相互融通”之意，前者是后者的基础，后者是前者的方向。“并举”的含义给予我们两个方面的启发：一是要开齐开好五育课程，落实规定、配齐教师、开足学时、做好保障；二是要明确五育的关联性和融通性，要在思想观念上突破五育边界，充分挖掘课堂的五育因素。基于此，“五育并举”要关切三个问题：适度问题，即需要量力而行，熟悉方法，避免“强行并举”；边界问题，即需要关注“五育”的相对独立性，抓住“各育”的特色；核心问题，即以德育为先，以人为本，立德树人，一以贯之。

聚集渗透，有机“融合”。“五育并举”的“并”不光是“并列”，还有“融通”“贯通”之意，此处“融通”“贯通”就和“融合”的意涵基本一致。何为“融合”？《现代汉语词典》中将“融合”解释为“几种不同的事物合成一体”。这里可以看出，“融合”要先有几种不同事物的聚集作为前提，紧接着需要相互渗透并成为一个整体。换言之，“聚集是融合的前提”“渗透是融合的过程”，“融合”即成为一个整体。要促进五育“有机融合”，“有机”是“融合”的重要标准与尺度，“有机性”就是“融合”的核心原则。“有机性”是指不同事物之间存在一种内在的、相互关联的状态，强调整全、关联与协调，整全即构成完整，关联即相互联系，协调即运作和谐。除了时代话语的变化之外，“五育融合”比“五育并举”更进一步的原因就在于“有机性”的定位。“有机性融合”强调整全发展，“五育并举”不可偏废，要把握五育之间的关联性，不得强制、不可孤立，促进“五育”相互渗透、联结、协调，以致互育共生，自然而然、充满活力。要掌握五育之间的融通性，把握各育间融合的难易度，尊重教育和人的发展规律，以此为基础，攻难守易，坚持底线且勇于创新。“五育融合”是“五育并举”的深化发展，在育人特性上体现为一种育人假设、育人实践、育人理念、育人思维和育人挑战。当然多维特性的存在也意味着难以把握，“融合”之难首先体现在“认识之难”，除此之外，还难在“日常”、难在“评价”、难在“生态”等几个方

面。要想攻破难题，就需要寻找突破口，这就是落实五育“有机”融合的关键之处。依据已有研究，目前可以明确三点：突破口没有唯一的，只有适合的；突破口不是静止的，是持续发展的；突破口应是易突破的，但绝不是简单的。

素养本位，归于“育人”。党的十八大首次明确提出将“立德树人作为教育的根本任务”，落实以人为本，德育为先，努力办好人民满意的教育。“立德”和“树人”是有机整体，即“‘立育人之德’与‘树有德之人’的有机统一”。“五育融合”作为一种教育实践新范式，也要以“立德树人”为根本任务，并努力实现“立德”和“树人”的有机统一。德为立身之本，树人先“立德”；人为德之目标，立德为“树人”。当然，落实“立德树人”根本任务，提升“五育融合”全面育人的实效性，需要我们紧跟时代要求，贴合时代育人主题。换言之，“立德树人”根本任务的落实要以核心素养的培育为重要内容和导向，“全面发展”育人目标的实现也要着眼于核心素养，即发展“学生应具备的、能够适应终身发展和社会发展需要的必备品格和关键能力”。发展“核心素养”是落实立德树人的关键举措，施行素养本位的课程教学，有助于促进学生知识、技能、能力、情感、价值观等方面的综合发展，从而实现“全面发展”的育人目标。因此，无论是“五育融合”“五育并举”，还是“素质教育”“全面发展”，都要以“核心素养”的培育为基础，回归教育初心，回归育人本质，达成“立德树人”根本任务。

“五育融合”内涵的逻辑架构显示，“五育”以德为先，德乃立身之本，应居于“五育”的核心位置，以体现“德育”的价值内涵，同时与“立德树人”的根本任务相互照应。在把握这一核心的前提下，“五育融合”可能经历三个阶段。第一个阶段即“五育分明”、各司其职。“五育”要明确各育之间的边界，把握“五育”的相对独立性，认清“五育”的相对位置，发挥好“五育”的各自作用，但此时会存在“某育”偏弱现象。第二个阶段即“五育并举”，分为“前加后乘”两个层次。具体是指在各司其职的基础上，先保证“五育”不可偏废，并行实施，相互促进，达到第一个层次，之后逐渐弱化“五育”之间的边界，由“加”变“乘”互相交叉渗透，找寻五育的融通路径，实现“并举”的第二个层次。例如，增设“劳动教育”课程，保障其课时、师资等以提高劳动教育的地位，这时便达到第一个层次——“加”。此时"劳动教育"课程虽与其他"各育"课程并列，但却是相互分离的。之后在明确劳动教育作为该课程主要目标的同时，发展出"一育"包含"五育"的意识，提高捕捉其他"各育"行为的敏感性，并尝试将美感、智慧等融入"劳动教育"课程之中，这时便达到第二个层次——"乘"。此时"五育"之间存在交叉渗透关系，是一种初步的技术化、工具式、不彻底的融合。第三个阶段即"五育有机融合"，强调"有机"作为"融合"的尺度与标准，由技术化转到艺术化，由工具性转向生命性，由不彻底转为自然而然，最终"五育"交融，实现一种有机、自然、美美与共的融通效果。此时，"劳动教育"课程便是一种"五育融合"课程，实施该课程既能提升学生的劳动素养，也能带学生进行文化学习、审美学习、道德学习等，从而"达到进入逻辑、进入历史、进入文化、进入社会的教学意义增值境界"。

二、坚持五育并举融合发展对校园文化育人的价值与实施路径

坚持五育并举融合发展对校园文化育人具有多个方面的价值与意义。一是具有学术研究价值，研究校园文化育人的内容很多，但是其中一个本质上的问题就是教育理念的建构与运行的研究，五育并举、融合发展的教育理念，为研究新时代高校校园文化育人问题提供了一种全新的分析研究框架。二是具有重要的理论指导价值，推进新时代高校校园文化育人活动开展，需要正确、完善的理论指导，将五种教育并举并有机融合的教育理论能为新时代高校校园文化育人活动开展提供有力的理论指导。三是具有重要的现实借鉴参考价值，面对众多的教育理论资源该如何选择，新时代高校校园文化育人活动开展中必须要认真思考这个问题。五育并举融合发展理论中蕴含了很多实际可以操作的教育方法，这不仅是一种教育理念，更是一种全新的教育行动指南，因此这种教育理论为当下高校校园文化育人活动提供了一种新的操作范式。

坚持五育并举融合发展对校园文化育人的价值有很多，但是需要进行一番审视和研究探索。一是要领导重视，具体牵头。二是做好相关操作设计和规划。三是从管理学的角度，做好新时代高校校园文化育人活动，贯

彻五育并举和融合发展的计划、组织、领导和控制、创新等工作。

第六节　全面质量管理理论下的文化育人理念

一、全面质量管理理论的基本内容

著名质量管理专家阿曼德菲根堡姆于1961年提出，他认为“全面质量管理是为了能够在最经济的水平上，在充分考虑满足顾客要求的条件下，进行市场研究、设计、生产和服务，把企业各部门的研发质量、维护质量和改进质量的活动构成一体的有效体系”。在质量管理的实际活动开展中，全面质量管理的理念应该说是到达了一种需要的最高境界，各种管理理念和实践建议基本上都应该是沿着其思路与规划行进的。因此全面质量管理思想具有非常重要的学术价值、理论价值和实践价值，可以引用到教育活动中来。其核心的思想和观点主要有以下几个方面。

一是以用户为中心，坚持用户至上。一切为用户服务的指导思想，使产品质量和服务质量全方位地满足用户需求。这是以人为本思想的当代体现和实践。

二是预防为主，强调事先控制。将质量隐患消除在产品形成的早期阶段，广泛采用各种统计方法和工具，对影响产品质量的各种因素的有关资料进行系统地收集，并对其整理、加工和分析，找出质量波动的规律，实现对产品质量的控制。这是一种强调过程管理的管理思想。

三是持续改进质量。在保证质量的基础上进行持续质量改进，这是全面质量管理的精髓。任何一个组织都应在实现和保持规定产品质量的基础上，通过提高质量管理水平，不断改进产品质量和服务质量。这是一种强调不断完善不断创新的管理思想。

四是强调以人为本。突出人的作用，调动人的积极性，充分发挥人的主观能动性。全面质量管理具有系统性，仅靠企业生产部门是无法实现的，它要求企业内部所有部门共同参与，而若要调动企业内部的所有部门，就需要企业的高层领导的积极参与。这是一种注重发挥所有员工积极性、主动性、创造性的民主管理思想的体现和落实。

五是质量形成于生产全过程。“全面质量管理阶段”“包括从产品构思、生产到售后服务全过程的全部内容”，保障产品的质量。这是一种将质量管理融合于企业发展的全过程的管理思想。

六是进行成本管理。其质量是在经济成本条件下加以设计、制造、营销和维持的。由此可见，全面质量管理非常重视对生产过程中质量成本的控制，重视生产效率与效益的提升。这是一种讲究经济效益、节约成本、不准浪费的管理思想。

二、全面质量管理理论的教育启示与校园文化育人理念的建构对策

全面质量管理理念契合教育高质量发展的要求，因而对新时代高校校园文化育人活动的开展具有重大的理论价值和实践价值。

一是顾客为中心的教育启示，就是坚持以学生为本开展教育工作。这一点要求新时代高校校园文化育人工作务必要做到以学生的美好生活期待为出发点和落脚点，以此开展整个文化育人工作。这也是新时代以人民为中心的最核心治国理政理念在校园育人活动中的体现和落实。

二是坚持全员参与的教育启示，就是要求所有教师都要积极参与到教育中来。具体到校园文化育人工作来说，要求新时代高校校园文化育人工作开展务必要坚持全员参与、全员育人，坚持团结奋斗，调动各部门、各条战线的教师一起投入到校园文化育人工作来，形成强大的育人合力。这也是新时代全过程人民民主的治国理政理念在校园文化育人活动中的体现和落实。

三是坚持持续改进创新的教育启示，就是要求所有教师要做到不断改进不断创新。具体到校园文化育人工作来说，在新时代高校校园文化育人工作开展过程中，必须要做到与时代同步、与学生同在、与国家同行，推动育人内容和方法与时俱进，不断创新。这也是新时代根据贯彻创新发展这一治国理念在校园文化育人活动中的体现和贯彻落实。

四是坚持质量为本的教育启示，就是要求教育必须要注重教育质量。具体到校园文化育人工作来说，新时代高校校园文化育人工作务必要坚持

走内涵式发展道路，注重文化育人内容的美好向度建设，不断提升文化育人内容的美好的质态、量态，以此满足学生对美好生活的期待和向往，实现文化美育。这也是新时代我们党高质量发展治国理政理念在校园文化育人活动中的体现和贯彻落实。

第五章　以教育的协同协调发展推动高校校园文化育人的主体建设

提高教育质量的关键在于教育主体的情况，因此，新时代推动高校校园文化育人，必须要重视文化育人主体的建设和力量的发动。因此，本章主要在育人主体理论研究的基础上，研究新时代高校校园文化育人的主体能力提升问题。鉴于每一部分都有谈及文化育人主体的建设问题，这里主要从教育协同的发展来研究探索新时代高校校园文化育人的主体建设。

第一节　育人主体的基本理论阐释

本节主要从理论和学术角度，对教育协同与教育合作的主体建设等相关问题进行一些探索和研究，以此建构和形成对新时代高校校园文化育人问题研究的基本理论框架和学术研究范式。

一、主体与教育主体的基本理论

主体指认识者，即在社会实践中认识和改造世界的人。人生活在各种社会关系中，认识和改造世界的活动都在一定社会关系中进行。人作为认识主体，既可以个体面貌出现，也可以群体一员面貌出现，还可以人类整体一员面貌出现。因此，主体的存在形式可区分为个人主体、群体主体和人类整体主体。个人主体是认识主体的基础，任何认识活动总是通过每个个人的认识活动去实现的。恩格斯认为，人的思维“仅仅作为无数亿过去、现在和未来的人的个人思维而存在”。群体主体指在一定历史发展阶段中进行认识活动的社会共同体。如民族、阶级、政党、国家等组织和群体。

人类整体主体，是将整个人类作为认识主体，人对整个客观世界的认识，是实现于整个人类的不断延续过程中的。主体的基本特征是能动性和创造性。

教育主体是指在教育活动中有意识地认识和作用于客体的人，与“教育客体”相对。教育理论界对教育主体的认识有下述观点：①指教育者，主要是教师，教育者有目的、有计划地对受教育者施教，以自身的活动与影响引起和促进受教育者的身心发展，教师在教育活动中发挥主导作用；②指受教育者，学生在教育过程中不是被动地接受教育，而是具有主观能动性，教师不过是指导者、辅导者；③指教育者与受教育者，二者都是有主体意识的人，在教育与教学活动中都有自己认识与作用的客体，二者都是主体，同时又都互为认识的客体，这两个主体在教育活动中的地位与作用有层次上的不同。

二、校园文化育人主体的基本理论

根据哲学上的主体理论和教育领域中的主体理论，校园文化育人主体的基本理论可以借此建构起来。校园文化育人主体的基本理论，应该包括主体的范围、地位和作用、素质与能力要求、培训教育、考核激励与管理等方面，这些理论问题都应该探索研究其构成要素。其中，主体的范围，主要是阐释清楚文化育人的主要参与者。主体的地位和作用，主要是关于文化育人主体的本身在教育过程中的位置和能够发挥多大作用。素质与能力要求，主要是探索阐释清楚文化育人主体开展工作必须要具备的各个方面素质和能力。培训教育，主要是阐释研究文化育人主体的能力建设问题。考核激励与管理，主要是研究阐释清楚文化育人主体的管理问题与沟通等问题。这些基本问题，不仅是在实际操作中要注意的关键问题，也是学术研究和理论阐释要重点关注的问题。

第二节　协同理论与教育协同的基本理论研究

本节在前文研究教育主体的建设的基础上，重点研究和阐释当今教育界对教育集体行动、合作行动的理论与实践问题。

一、协同理论：教育行动共同体建设的一个基本理论阐释

协同理论又称联动理论，是关于行动主体联合行动的一种理论阐释和研究范式。从学科角度来说，协同理论已经成为学术界和理论界关注的一门新兴学科——协同学。其开山鼻祖是德国一大学物理学专业的名叫哈肯的学者。他经过长时段的观察和研究，提出协同的概念，并逐渐进行理论思考，形成了协同学的系统阐释，建构了一门全新的学科，推动了系统学科的研究与发展。

协同学理论的精髓是在系统科学发展的基础上，通过一个组织内部的各种协调行动，形成一种前行的协同机制，在组织内部建构起一种协同向前的运行机制和结构体系。这种运行机制和结构体系的关键之处就在于协同互动共赢的前行机制。具体说来，协同学理论体系主要包括以下几个重要的理论要点。

一是协同效应理论。这种协同效应在现实生活中早已经存在，应该是从古代就有的一种现象，就是指一个组织内部面对重大挑战、重大困难的时候，会自动形成一种相互协同的团结行动的格局，以便应对各种灾难、挑战和危险，并化解各种风险。这一观点，主要包括三个方面的内容，其一是如何产生协同效应，其二是协同效应有多大的测量问题研究，其三是如何放大一个组织的协同效应。这里面不仅仅涉及社会科学，还涉及更多自然科学的知识和技能，因为协同效应需要很多的实际操作和量化工作，方能更加有效扩大一个组织的协同效应。关于协同效应理论，还有很多值得研究的地方和内容。今后从理论到实践，都需要进一步探讨。

二是服从理论。这是协同理论体系中又一个关键理论要点。组织内部的各种力量之间本身存在发展不平衡的问题，也就是说存在力量发展偏差

的问题。因此，在应对重大挑战、协同前行中就存在前行步伐的快慢不一致的问题，这其实涉及一个互相迁就和服从统一行动的问题。至于如何服务、服从谁、服从什么等基本问题，都是服从理论中需要研究的问题，在实际推进过程中也必须要注意协调组织内部不同力量之间的前行步调。就其中的核心内容来说，就是一个组织内部各种力量在前行之中，要形成一种团队意识，要形成一种服从大局、服从集体的意识和行动。

三是组织理论。这实质上是管理学的一种理论。任何一个组织都存在两套行动的组织体制，一是自己组织自己的组织体制，简称为自组织体制，二是外来的力量组织一个组织，简称为他组织体制。这两种组织力存在一个张力的问题，一般说来，内部组织力强大，外部组织力就相对要弱小一些，两者成反比的情况占多。这两种组织机制对一个组织的发展和前行来说都很重要的。从协同理论角度来说，自组织力是一个组织内部协同的力量，没有自组织，就难以形成协同的强大力量。因此，研究协同理论，必须要注重一个组织的自组织机制和他组织机制的研究。

协同这种理论体系具有广泛的应用性，具有广泛的历史基础和现实基础。协同现象从人类开始就已经存在，历史悠久。放眼现实，在行政、经济、文化、教育、环境等行业中普遍存在着协同的现象、协同的行为。因此，协同理论的研究、阐释和发展创新具有深厚的历史基础和广泛的现实基础，具有无限广阔的现实发展空间、理论发展空间。

正是它的这种普适性和具有广泛应用性的特征，把协同论引入管理行业、教育行业的研究之中，必将对管理理论、教育理论发展及解决现实管理领域和教育领域中的问题具有启迪意义，能提供新的思维模式和理论视角。

二、合作教育与协同育人理论

在协同理论基础上，教育界目前发展起来的教育模式和教育理论主要有两种，一种就是合作教育，第二种就是协同教育。二者有区别有联系。

1. 合作教育的理论阐释

合作教育是20世纪80年代后期出现于苏联的一种重要的教育理论。它提倡教育过程中的师生合作，重视学生的学习兴趣、学习能力的培养及个性的健康发展，主张取消分数而以发展学生的认识积极性为目标等。由于合作教育倡导教育的个性化，因而它极大地影响了苏联 20 世纪 80 年代后期的教育理论与教育实践的发展。

合作教育理论的主要思想体现在教师要以儿童的发展为目标，强调儿童中心的教育思想。使学习成为儿童生活的需要，强调学习的重要性。倡导以发展学生的认识积极性为目标的实质性评价，注重对学生学习过程的考核管理。建立合作的师生关系，强调师生在教育过程中的互动的重大意义与价值。主要的教学论原则有相信学生的原则、师生合作的原则、“自由选择感”原则等，强调教师和学生之间合作的基本要求与基本准则。

2. 协同教育的理论阐释

协同教育是在协同理论基础上专用于教育领域的理论，是协同理论在教育领域中的拓展运用和深化发展。

协同教育的内容丰富多彩，从理论体系的完整性和系统来研究，至少应该包括以下三个基本问题：一是协同教育的基本内涵和构成要素，二是协同教育基本的历史依据、现实依据和理论依据，三是协同教育的实现路径和相关策略。

从实际操作和现实运行来看，协同教育主要研究校内的教师之间的协同、师生之间的协同，以及校外内联动的家长、学校与社会之间的协同等。从大的范围来看，一所学校的协同教育主要体现在这三大方面。这三个层次的协同教育也还包括很多需要解决的理论问题和实践问题。

第三节　加强校园文化育人的教师队伍建设：育人主体能力角度的阐释

教师队伍建设，从不同角度看，涉及不同的问题。从人的发展角度看，教师队伍建设是教师群体的发展过程，可以从人学的角度开展研究。教师队伍建设，涉及教师群体各个方面的需求，可以从人的需要层次理论开展研究。教师队伍建设，涉及学校的人力资源管理建设问题，可以运用人力资源理论开展研究。教师队伍建设，涉及教师教育问题，可以运用教师教育理论开展研究。教师队伍建设，还涉及教师的管理问题，可以运用

目标管理理论开展研究。这些不同的教师队伍建设理论，给予校园文化育人的主体建设不同的启示，提供了不同的发展路径。

一、以人学理论为指导，加强校园文化育人工作人员全面发展

1. 马克思人学思想的基本阐释和研究

马克思人学思想博大精深，内容丰富多彩，具有重大的历史价值、学术价值、理论价值、时代价值和现实价值。其中的主要观点包括以下内容要点。

关于人学的出发点。现实的个人及其活动是人学理论的出发点。马克思主义人学理论研究是现实的个人，是他们的活动和他们的物质生活条件。因此，这些前提可以用纯粹经验的方法来确定。

关于人的本质。人的本质不是单个人所固有的抽象物，在其现实性上，它是一切社会关系的总和。社会关系的总和即人在制造和使用工具的实践活动中所结成的各种关系的总和。在人的实践活动中结成的社会关系的总和是社会历史性的、普遍性的。

关于人性。人性是现实的、具体的，不存在抽象的人性。现实的人性是自然属性、社会属性和精神属性的有机统一体，因而是在一定物质条件下自觉地从事实践活动的人的全部属性。

关于人的自由、人的解放。自由是人的主体性的最充分的体现，自由不在于幻想中摆脱自然规律而独立，而在于认识这些规律，从而能够有计划地使自然规律为一定的目的服务。自由是对必然性的认识和对客观世界的改造。只有认识了事物的必然性，才能把握主体选择的范围，才能获得更大的解放和自由。

关于人的全面自由的发展。人的全面自由发展就是个人有充足的休闲时间享受和学习，人的本质力量不断提高，个人全部能力、天赋得到充分发展；社会的全面自由发展就是阶级的消灭，一部分人的发展不以牺牲另一部分人为代价。

2. 马克思人学思想指导下校园文化育人的教师队伍建设路径

根据马克思主义人学思想，推进新时代高校校园文化育人工作的教师队伍建设应该坚持以人为本，以教师为本，注重在沟通、交往中发展教师

能力，瞄准学生和教师的要求，促进教师专业、事业、职业与其他相关文化知识的全面发展。引导教师树立正确的世界观、人生观和价值观，这就是马克思主义世界观、社会主义人生观和核心价值观，确保教师的灵魂深处是健康的。注重解决教师工作、学习和生活中各种困难，让教师放心安心工作，提升教师的快乐感。引导教师处理好学校发展和个人发展、团队建设与自身建设之间的关系，养成一种大局意识、整体意识，提升自己的发展格局。引导学校在尊重教师个性、特长和尊严的基础上，加大教师个人素质的建设行动。

二、以人的需要层次理论为指导，契合工作人员的需要开展校园文化育人工作人员建设

1. 马斯洛需要层次论的基本阐释和研究

关于人的需要的研究，相关的理论很多。其中的集大成者当属美国心理学家、管理学家马斯洛。

马斯洛的需求层次结构是心理学中的激励理论，包括人类需求的五级模型，通常被描绘成金字塔内的等级。从层次结构的底部向上，需求分别为：生理(食物和衣服)、安全(工作保障)、社交需要(友谊)、尊重和自我实现。这些不同层次的需要，其情况是不一致的，就是同一个人，在不同时段的分布格局也是有差别的。每一种需要都有自己特定的内涵和特殊的价值意义，是作为一个健全完整的人所必须要有的。

对人的需要层次理论的研究和阐释，不仅需要阐释其内容，更要分析其广泛的应用性。凡是涉及人的问题，都可以运用该理论。养老院、学校、医院、企业、行政机关、银行部门等都可以用这个理论来建设打造自己的工作团队。目前运用比较多的是企业，其在管理中运用这一理论，开发出很多富有特色的人力资源管理模式，极大推动了企业的发展，也促进了企业员工的发展，促进了企业消费群体的发展。

马斯洛的需要层次理论，具有重要的历史价值、现实价值和未来价值，具有重要的理论价值和实践应用价值。

2. 需要层次理论视角下校园文化育人工作队伍的建设路径思考

根据马斯洛的需要层次理论，新时代高校校园文化育人工作中应注重从教师的需求角度来提升教师素质、推进文化育人工作更好开展。比如针对教师们的生理需要，我们可以采取的激励措施有增加工资、改善劳动条件、给予更多的业余时间、提高福利待遇等。针对教师们的安全需要，我们可以采取的激励措施有强调规章制度、职业保障、福利待遇，并保护员工不致失业，提供医疗保险、失业保险和退休福利、避免员工受到双重的指令而混乱等。针对教师们的归属和爱的需要的要求，我们可以采取的激励措施有提供同事间社交往来机会，支持与赞许员工寻找及建立和谐温馨的人际关系，开展有组织的体育比赛和集体聚会等。针对老师们的尊重需要需求，我们可以采取的激励措施有公开奖励和表扬，强调工作任务的艰巨性及成功所需要的高超技巧，颁发荣誉奖章、在公司刊物发表文章表扬、优秀员工光荣榜等。针对老师们的自我实现需要的要求，我们可以采取的激励措施有设计工作时运用复杂情况的适应策略，给有特长的人委派特别任务，在设计工作和执行计划时为下级留有余地等。

以上这些措施的核心思想就是，要始终从教师的需求和对美好生活的期待的角度来做好教师队伍建设，做好教师队伍的管理与教育工作。

三、以人力资源理论为指导，加强校园文化育人工作人员的人力资源管理与建设

1. 人力资源理论的阐释与研究

要阐释和研究人力资源理论，必须要首先对这个理论体系的核心概念——人力资源进行阐释和研究。人力资源是对人的价值认识的一个巨大提升和飞跃，是在资源理论思维模式下形成和建构起来的一个概念，同时也是在管理学、人学基础上而发展起来的。人力资源的提出和实行，是对人类的工具性价值认识的一次跨越，但其本质还是把人当成一种资源来开发利用。从概念上阐释，人力资源有广义和狭义之分：广义的人力资源概念体系就是将人相关的各种因素都纳入人力资源的范围来思考和界定；狭义的人力资源概念，往往就是指一个组织或者单位中的所有员工能够开发出来的价值资源。

资源有自然资源和社会资源的区分。人力资源就是社会资源系统中的一种资源。这种资源具有自己的特殊性，有自己的特色。一是具有自主能动性，与自然资源不一样，人力资源具有自主能动性，其他资源仅具有被动性，人可以自主开展活动，自主结束活动，具有自我管理、自我教育、自我发展的特点。二是具有两重性，即具有个体性和社会属性，其生存和发展必须要同时处理这两属性。人是生产个体，也是消费群体，要从事生产等工作，也必须消费以满足自己能够生存和发展的基本需要。三是人力资源具有时间的限制性，一般的资源如果不启用，其时效基本不会发生的大变化，但人就不一样。其本身的智力、体力等会随着年龄的加大而逐渐减少。四是人力资源具有连续性，主要是指人力资源的成长、开发与利用是一个连续不断的过程，需要不断积累努力的过程。五是人力资源具有再生性和重复使用性，这主要是人力资源使用一次后可以经过修复进行再使用。当然这个重复利用的效率如何还要取决于人力资源本身的时间、能力开发情况与管理等因素。

2. 人力资源管理理论视角下校园文化育人工作人员的建设研究

人力资源管理理论的最大启示就是，对于教师队伍的看法，不能仅仅把教师当成工具使用，更应该当成一种取之不尽用之不竭的宝贵资源资本来对待。新时代高校校园内文化育人工作开展中，注重工作人员的建设就应该积极借鉴人力资源管理理论，注重从培养和挖掘教师的潜能出发，开展教师文化育人工作的能力培养。

一是改变旧的工具性观念，树立人力资源的理念，以此指导新时代高校校园文化育人活动的教师队伍建设。

二是注重教师队伍潜力的开发、能力的培养，加大情感的、物质、环境等方面的投入，积极为教师队伍职业成长、专业发展、事业进步提供好的平台、好的环境、好的氛围。

四、以教师教育理论为指导，加强新时代高校校园文化育人工作人员的教育

新时代高校校园文化育人活动开展，需要高素质的教师队伍参加。高

素质的教师队伍不是自然形成的，而是有一个长期积累的教育成长过程。因此教师教育的开展，需要管理学、教育学、心理学等专业学科的理论支撑和指导。这里主要对教育理论开展研究阐释，研究其中的基本内容和现实意义、落实路径等问题。

1. 教师教育理论的阐释与研究

教师教育理论是一个历史悠久、内涵丰富的理论体系。可以这样讲，有了教育，就有了教师教育的思想，只不过形成教师教育理论体系是后来的事情。因此，教师教育理论，要涉及研究教师教育的历史，研究教师教育的历史是中国教育史研究的一个重要问题。教师教育也是现实的，因此教师教育理论的研究能解决教师在现实行进中遇到的各种问题、各种课题、各种困难、各种挑战。从学术界目标的专门的学术期刊来看，《教师教育研究》就是专门研究教师教育问题的专门期刊，关于教师教育的问题进行大量探讨。

教师教育理论，和前文关于教师队伍建设的理论有一个重大差异，就是从教育的角度来探索新时代教师的成长问题。可以这样讲，各级各类学校都非常重视教师教育问题，在教育强国的战略指导下，开展了很多工作和尝试，尤其是在互联网+教师教育的条件下，开展了很多教师教育工作，取得很多的成果，有很多地方值得研究和总结。

从概念上讲，教师教育理论，就是关于教师教育的一种理论体系。从包括的内容来讲，教师教育理论应包括教师教育的理念、主体、平台、内容、方法、保障与督导等方面问题的研究。从范围来看，教师教育主要分为两类：一是教师教育的职前教育，二是教师教育的职后教育。这是时间段的划分。从教育主体来看，教师教育可分为外在教育和自我教育两大类。

从方法上看，目前采用的比较多的就是教师教育的反思模式。主要包括的环节有以下几个：一是以问题为本，确定教师教育的基本内容。二是注意教育创新，实现教育形式多样化，比如专题讲座、专题研讨、问题研修、观摩实践性指导、教育调查、行动研究等。三是注意教育时间段的安排，假期集中学习与平时的分散学习结合。四是注重积极推动教师教育融入教师的整合教育生涯之中，形成一个自我教育、自我提高、自我学习、自我管理的长期学习模式。

2. 教师教育理论视角下高校校园文化育人工作队伍的建设路径

教师教育理论给予的最大启示，就是要定期开展校园文化育人工作队伍的教育培训工作，力求从理论素养和实践操作能力进行提升。因此，新时代高校校园文化育人工作开展，必须要非常注重文化育人工作队伍中教师的教育，以新时代高校教师要求为标准，按照专业学科的教师教育的模式开展教育培训工作，建构相应的制度，落实相应的保障和督导，力求常态化、规范化和长效化。

要重视教师教育工作，从思想到具体的政策上，要注重向教师教育倾斜，落到实处。

要根据新时代高校校园文化育人工作对教师素质和能力的要求，制定一套兼顾眼前和长期的、科学有效的教师教育规划。

积极开展教师教育行动，建构起集中学习与短期学习、自我学习与组织学习的保障和督导激励机制。

五、以目标管理理论为指导，加强校园文化育人工作人员的管理

新时代高校校园文化育人工作队伍的建设，不仅是一个教育问题，也是一个管理的问题，因此可以引入和采用管理学的相关理论体系来研究、阐释和提出相应的改进对策。这一部分，可运用管理理论中非常流行的目标管理理论来开展研究，研究目标管理理论指导下新时代高校校园文化育人工作的主体建设的现状和可能的改进对策。

1. 目标管理理论的研究和阐释

目标管理是20世纪50年代美国管理学大师彼得德鲁克提出的，之后在美国的大小公司纷纷开展使用，然后拓展到非企业部门，受到广泛欢迎，效果非常不错。当然这套理论和实践活动也存在一些不足。

目标管理理论提出有一个理论和现实背景。管理学术界先后出现了重视工作的科学管理理论和重视人的人际关系学派，这两者都走向管理的一个极端。在实践上虽然各有成就，但是带来一些问题，需要提出新的管理

理论和方案。正是在这样的背景下，德鲁克经过长时间的企业调查和研究，提出了一种重视管理实践的目标管理理论。

目标管理理论的主要内容和主要思想有以下几个方面：一是目标管理最大的特点就是不仅重视工作和人本身的管理，而且将两者结合，既重视工作，也重视人的需要，这是一种力求两全的管理理论；二是强调管理者和所有部门、工作人员一起制定公司、部门和个人的目标，不是管理者独角戏的制定目标，这样的目标制定才有更强的可行性；三是强调员工在工作行进中的自我管理、自我教育、自我学习提升；四是强调管理中的沟通和激励的使用。这些主要的内容，是目标管理理论的核心部分，其中贯穿的一个基本思想就是民主管理的思想。

目标管理的实施过程与目标管理理论的具体应用环节有以下几个方面：一是设定和制定目标，他负责决策目标是什么、决定目标的标准、达到目标的方法和应向执行者传达何种意思使目标能实现。管理者应分析业务活动、决策及必需的关系，对工作进行分类。管理者应对管理活动进行分类，再进一步细分具体的工作。同时，管理者也要把组织划分成不同的部门，选拔合适的人选负责各个部门，处理其应做的工作，也就是让合适的人去做必要的工作。二是做好激励和沟通，管理者将负责各种工作的人组织起来，激励他们为达成组织的目标而努力，同时处理好人员配置、待遇、晋升等工作，与上级，下属及同事经常联系沟通。三是做好工作业绩的科学及时考核与反馈，管理者应建立考核的标准，这些标准对于考核工作人员的业绩是很重要的。每一个人员都有业绩考核的标准，利用这些标准考核每一个员工的工作业绩，并使上级、下属及同事了解考核的结果。

2. 目标管理视角下高校校园文化育人工作队伍的建设路径研究

目标管理理论的最大启示，就是对教师队伍的建设要用管理的思想来推进，这样过程才能持久、效果才会更好。因此，新时代高校校园文化育人工作的建设应该树立目标管理的意识，制定好教师发展的目标及相关发展计划，组织好教师教育工作，协调好教师教育的各个环节，控制好教师教育的整体运行，与时俱进进行创新。

一是重视目标管理，树立目标管理的思想来指导新时代高校校园文化育人中的教师队伍建设工作。这一点主要是强调在推进新时代高校校园文化育人队伍建设建设时候，要树立一种全新的目标管理思想，破除现在管理思想不到位的情况。

二是根据目标管理的要求，带领每一个教师规划好自己要完成的工作目标，这是一个基础性要素。这一方面的对策，主要是强调了首先必须要上下齐心制定好前行的目标，这样才能明确前行的方向。

三是加强目标考核和激励，这是一个核心的要素。要真正让绩效管理落实到新时代高校校园文化育人的过程之中。这一方面的对策强调，必须做好目标的考核和激励工作，以考核和激励好目标的完成，引导教师的成长，推动校园文化育人活动更好完成。

第四节 建构校园文化育人教育行动共同体的建设与运行：育人主体结构的阐释

前文从人学理论、人力资源理论、教师教育理论、全面质量管理理论、目标管理理论等方面对新时代高校校园文化育人活动的主体建设进行探讨，这基本上是从教师个体成长角度来探索和阐释的。将从本节校园文化育人的主体结构来研究阐释新时代高校校园文化育人活动的教育行动共同体的建设问题，并提出相应的对策。集体行动需要一个平台，这就是教育行动共同体。在研究新时代高校校园文化育人的教育行动共同体的建设问题之前，有必要先对共同体理论进行研究阐释。

一、关于行动共同理论的基本阐释和研究

关于共同体的历史发展研究，学术界目前是这样概括的，即从人类历史发展过程来看，人类社会要经历三大共同体阶段：第一阶段是以人的依赖为基础的自然共同体，第二阶段是以人对物的依赖为基础的商品货币共同体，第三阶段是以人的自由而全面发展为特征的真正共同体。而生活于现代工业文明中的人类处于第二阶段共同体中，其特点是以改造和征服自然为主基调，以人的异化和主体性的丧失为代价，其结果必然导致人与自

然、人与人、人与社会之间关系的空前紧张。资本主义社会所展现的只是一个“虚假的共同体”，人类社会的发展必然要扬弃自然共同体、商品货币共同体，进入真正的共同体，也就是既符合人的本质，又使人与自然和谐共生的更高阶的文明共同体。正是基于这个研究上，我们提出了行动共同体的概念。

马克思主义关于共同体的理论是行动共同体的理论支撑之一。西方学者提出的集体行动理论是行动共同体理论的主要理论支撑之一。“集体行动的逻辑”是美国学者曼瑟尔·奥尔森最早提出的理论。该理论强调的是团体协作在现代生活和工作中影响很大，可以缺点互补，因此很多领导者都注重集体行动的效应，并将之广泛用于各个部门的管理和发展之中。

二、教育行动共同体的基本理论

教育活动，是教师的个人行为，需要充分发挥教师的主体性；同时，教育活动也是文化现象，具有很多人共享的价值，所以教育又是一种共同体现象，需要教师有交往行为，即教师要有主体间性。

1. 教育共同体具有的内在含义和重大意义阐释

教育行动者总是遵循一定的习惯方式、一定的思想、一定的规则模式开展教育活动。一般学者称之为教育模式或者教育范式。在基本相同范式下开展教育行动的群体或者集体，被称为教育行动共同体。

其一是教育范式和教育共同体的基本内涵阐释。教育范式，也可以称之为教育模式，内含一套运行的理论支撑体系、一套完整成熟的行动规则体系和方法体系、制度体系。教育共同体是指在同一个教育任务中所有参与教师的集合体，这个共同体运行有效的关键就是每一个人为共同目标而奋力向前。教育问题或者课题，是指摆在教育行动共同体面前的工作任务，是需要集体行动才能完成的任务。因此，从大教育系统视角研究分析，一个完整的教育体系，应该包括教育课题与工作任务、教育模式与范式、教育行动共同体等三个方面的因素在内。其中，教育课题与任务，是属于教育客体层面的要素；教育模式范式，是属于教育方式或者介体层面的要素；教育行动共同体，是属于教育主体层面的要素。这三者是缺一不可、不可分开的，需要共同发力的。

其二是教育共同体运行模式具有多重的意义与价值。首先，教育行动共同体促使教师之间开展诸多的互动行为，推动教育主体从单一的教师个体发展为教师群体行为，让教育主体发生一个质的变化和飞跃。其次，对新兴的教育范式与模式的推广运用具有重要的价值与意义，教育行动共同体能够集中力量推广一种新的教育范式与模式，能够与时俱进推动新教育模式与教育范式开展起来，比如现在的沉浸式教育模式、翻转式教育模式等。再次，这是推动教育改革创新的重大力量，教育行动共同体，比其他共同体具有更多更大的力量，在全面深化改革开放、践行五大发展理念的今天，能够不断推进校园文化育人活动在各个方面得到创新发展、高质量发展。

2. 建构教育范式的思想基础研究阐释

一是教育模式与范式背后的思想解读。任何一种行动背后都有思想的主导和指导，都有理论的支撑与引领。教育范式与模式最核心部分就是其内在的思维方式和价值取向。这种思维方式和价值取向属于哲学范畴所要研究的主要内容。这种思维方式主要包含三种，一是哲学思维方式，二是科学思维方式，三是日常生活的思维方式。这三种思维方式处于不同层级，推动着教育行动背后的教育范式与模式的前行、改革、发展与创新。其中，这些思维方式，主要就是包括认识论、本体论、历史观等思想，尤其是其中的思维方式和价值追求，是主导教育范式的核心要素。哲学思维方式，其认识论就是两条路线，一是从物质到意识的路线，二是从意识到物质的路线。从辩证法角度看，一种是注重联系、发展、矛盾的方法，一类是不太注重联系、发展和矛盾的方法。严格说来，这两条认识路线有一定的联系。科学思维方式是在哲学思维方式下发展起来的某一学科的思维方式，是遵循自然规律、社会规律的科学思维方式，是哲学观的运用和发展，例如历史思维方式、战略思维、系统思维、问题导向、底线思维等。日常思维方式，更多的是一种惯常的思维方式，这种思维方式，是与日常生活适应的思维方式，是人们最常用的一种思维方式。

二是现代新兴教育范式具有诸多的特征，与传统教育范式不一样的地方很多，其一，就是坚持学生为本的教育理念真正树立起来了，传统教育范式更多的是教师为本、教材为本，对学生的接受程度、感受需要等方面

关注不多，甚至有些忽略，现代教育范式一个最大特点就是以学生为本，以学生为中心，是一种人本主义思想指导下的教育行动范式。其二，坚持开展教学互动的教育范式，传统教育范式是教师占据主导地位的独角戏行动，现代教育范式下教师和学生之间互动已经成为一道十分显眼的、靓丽的教育风景线。其三，积极采用先进的科技，不断赋能教育行动，传统教育范式是一种手工操作主导下的教育范式，现代教育范式是一种新兴的教育范式，其显著特征就是采用新兴的科学技术，将科技赋能教育运行的所有环节，包括准备阶段、实施阶段、考核反馈阶段，这三大环节都融入计算机、信息技术、网络技术等。其四，现代教育范式理论与实践、整体和个体等并重，传统教育更多注重理论知识的传授，对学生实际操作能力、动手能力培养不足，因而实践教学重视不够，实践性不强；现代教育范式一个重大特点就是非常注重面向学生、面向生活、面向实际，高度重视学生的实际操作能力的培养和训练。同时，与传统教育范式不一样，传统教育范式更多强调专业化教育，现在教育范式更多强调的是一专多博、多专多能的教育发展布局。

3. 关于教育共同体的多维度阐释

对于教育共同体的解释，可以采用不同的角度进行，如文化学的视角管理学的视角、教育学的视角、组织学的视角等。

一是教育共同体的文化学阐释，从文化学角度看，教育行动共同体的产生运行是一种文化现象，也可以说是一个教育领域的文化问题，是一种集体主义文化思想的产物，从其所包括的文化内容来讲，从其产生到运行，都有一种集体行动思想的指导和引导，内含了集体主义的物质文化、制度文化、精神文化、行为文化，能促进校园文化、教师文化、学生文化的发展。

二是教育共同体的管理学阐释。从管理学角度看，教育行动共同体的产生、运行与发展也是管理领域的一个现象，如何管理和建设教师队伍一直是教育界的一个重大课题，也是一个焦点问题，教育行动共同体的出现、发展和运行标志着教育管理不仅应注重教师个体的管理指导和服务，更应注重服务整个教师队伍，形成一种整体管理、规模发展的教师队伍建设管理效应，既然涉及管理问题，那么管理学中的相关理论、思想、原理和方式等都可以引入教育行动共同体的管理运行之中。

三是教育共同体的教育学阐释。从教育学角度看，教育共同体是教育领域中的教育现象，应该首先从教育学的角度展开研究和探索，主要涉及一个设计教育主体结构的变化和重构问题的教育现象，教育共同体与教育个体对应的一个范畴体系，其运行逻辑和思路，与教育个体的运行逻辑和思路存在很大差别，其中最大的差别是教育共同体强调任何一个教育都是集体智慧的结晶，都需要教育集体的行动来推动，这就是教育共同体产生的教育原因。从教育主体来看，教育行动共同体的运行与发展，标志教育个体主导的时代转向教育共同体的教育时代。

四是教育共同体的组织学阐释。教育共同体是一种将教师个体组织起来的全新教育组织形式，是一种集中教师们的集体智慧、集体力量、集体资源开展教育行动的教育组织运行形式。这种教育共同体的运行形式其实很早就有了，比如教研室就是一个非常典型的教育共同体案例。

4. 构建和运行一套有效的教育行动共同体机制

教育共同体和教育范式之间互相形成、互相建构。教育范式从其核心理论形成之日起到发展、应用、完善都是由教育共同体来实现和完成的，这个过程也是教育共同体形成的过程。因此，教育范式的形成也就是教育共同体的形成。

一是建构开展教学研究、科学研究的运行机制，推动教学研究和科研更好开展。干任何工作，科学研究都要走在前面。在教育领域中教育科学研究也不例外。广大教育工作者必须进行教育科学研究，才能把自己的工作做好，才能够启迪思维、产生新的教育思想、更新传统观念，形成改进工作、改变现状的思路，实施教育创新。广泛开展教育科学研究，是形成教育共同体的基础。教师只有积极参与研究，才能对教学模式、方法有深入了解，对教育规律和教育问题具有敏锐观察力，改变传统教育思维中的惰性、激活创造潜能和激情。可以说，教育科学研究是教师教育创新、激活思维的舞台，是交流、对话的场所，是形成新教育范式的生命线。

二是树立大科学观，形成完整的知识结构。教师要能够教育创新、产生创新思维，知识是基础。教师不仅要有专业知识基础，也要有较为雄厚的基础科学知识。特别是要树立大科学观念，突破狭隘的专业思维的局

限，开展大科学教育，使单一学科走向大科学。狭义科学一般指经验自然科学。大科学包括狭义科学在内，在认识论上具有理性的、逻辑的、实证方法等经典科学的特点外，还增加非理性的、历史的、思辨的方法等认识上的新维度。在认识对象上由单纯自然现象、自然规律扩大到重大的问题上。不片面地追寻和使用自然规律，而是对社会的重大跨专业问题采用综合分析方法。大科学是知识进化的产物，表现出知识存在形式和结构的变化，由物理科学为重心向信息科学为重心转移。信息科学成为各种知识的基础。关于人的知识，如心理、认识水平、智能结构将成为知识的主体，方法类的知识将会占据主导地位。这些变化，使知识能进行重新整合，许多新学科如边缘学科、交叉学科，横断学科、综合学科会迅速崛起。每种学科知识都应接受大科学观启迪，跳出决定论坚持物化的狭隘圈子，吸收最新科学观念，不断走向大科学，从而扩大认识的视野，增强教育范式的建构能力。

三是提高教师的文化力，使学校成为文化创新的土壤。教育是文化的一部分，教师所从事的活动实质上是文化活动，是文化的继承和创新。这就需要教师有深厚的文化积淀，才能释放出更大的文化能量。进行文化交流、沟通，有利于形成教育共同体。特别是在新旧文化重叠、东西方文化交融、现代文化与传统文化整合的时代，教师对文化的选择、批判和创新的能力就显得特别重要。需要教师有能力解构已有的教育范式、建构新的教育范式。教师文化力包括智力因素、精神力量、文化网络和传统文化。其中精神力量包括理想、信念、道德、价值观、求实创新、奉献精神等。这是一种新的教师能力观，不仅重视智力因素，还特别关注精神力量、文化网络和传统文化，为形成教育共同体、建构教育范式提供新思路。教师文化力的产生与环境密切相关，学校就是教师文化力的生长点，是教师进行文化创新的土壤。学校为教师的文化创新营造现代学术环境，使教师的业务进展和现代科学技术发展相结合，多举办学术和教育研讨班、进修班、读书班、学术报告会，使教师的知识不断更新，不断形成新的学术思想。同时，学校应形成文化智慧环境。虽然学术环境具有严肃性，并有严谨的学术思维活动，但人们还需要其他的文化模式，由文学、历史、哲学、艺术等学科领域引发出的人文文化模式比起科学文化的学术活动而言要大众化一些，和人的情感价值等更贴近。这种文化氛围能够使人轻松，在轻松中增加智慧，改变思维惰性。人文智慧对教师进行教育范式创新更有意义。因此，不能把教师培养成只具备逻辑理性而缺乏情感的冷冰冰的人。要把教师培养成充满激情的具有丰富情感的人，就需要教师接受人文教育，把个人从自我为中心的思维活动中解放出来，能和他人友好相处，和谐交往，经常进行师生对话，具有宽阔的文化胸襟。学校要为教师形成一个开放的环境，构建四通八达的文化信息网络。文化信息网络对教师的能力提升和教育研究、教育模式的建构是非常必要的。一个教师能有一个开放的信息环境，一方面要靠个人形成和建构，另一方面需要学校的支持。为教师提供多媒体信息高速公路网，培养教师建立自己的文化信息网络是非常重要的。

三、校园文化育人行动共同体的建设

针对当下校园文化育人中行动共同体建设的滞后，新时代高校应该积极运用组织学、管理学的相关理论，并运用行动共同体理论，围绕文化育人工作开展的需要，从以下方面着手开展建设文化育人行动共同体。

一是要建构行动共同体的具体组织，做好相应的职责分工。要真正形成有效的教育行动共同体，必须要建构相应的组织来推动，比如各类教研小组。我们可以在此基础上将已有各类教师组织机构进行整合，建构好内部的管理制度和分工。

二是要建构相应的运行规则与制度，推动文化育人行动共同体行动常态化。教育行动共同体的组织机构一旦成立，关键在于要运行起来。我们现在面临的是，有很多教育行动共同体组织处于低效运行的状态或者无效运行的状态。其中一个根本原因，就是缺乏管理。鉴于此，必须要注入管理的驱动力，让所有的教育组织都行动起来。

三是设计好行动的活动内容和方案。推动教育行动共同体建构起来，最核心是如何推动什么样的校园文化教育活动。因此，这里就涉及教育行动共同体的活动内容的设计和实施的问题了。在设计教育行动共同体的校园文化育人活动内容时，必须要注意结合党和国家政策要求、学校发展情况与目标、学生的情况以及教师们的情况，以此设计一套符合实情有效的

文化育人行动内容和方案。

四是建构好育人行动共同体的考核和激励机制。组织机构有了，组织内部的制度体系也有了，组织行动的校园文化育人内容和行动方案也有了，最后一个关键的机制就是要建构和形成一套完善、有效的考核激励机制。这套考核激励机制应将每一个组织的校园文化育人活动的情况作为评优、划拨活动与发展经费、职称评定、进修学习等方面的一个必备的参考因子，以此强力推进新时代高校校园文化育人中教育行动共同体行动起来。

第六章　以教育治理的专业化、精细化提升高校校园文化育人的内在品质

任何一项教育要提高质量，一个关键问题在于教育内容的设计与建设情况。新时代高校校园文化育人质量要提高，必须要注重教育内容的建设与开发利用。这一部分主要从两个角度研究新时代高校校园文化育人的本体建设，一个是专业化的角度，一个是精细化的角度。这两者是相互关联又有一定区别的。本章的研究，旨在从内容高质量建设上探索新时代高校校园文化育人的改革创新，以便从内在品质方面为当下高校校园文化育人工作的现实运行和建设发展提供一定的参考和借鉴。

第一节　教育本体的基本理论研究

关于教育本体的基本理论研究，首先需要对教育本体的理论进行梳理阐释。在此基础上，再结合教育本身的情况，运用马克思主义哲学来阐释教育本体的基本理论，以此探究新时代教育的内容应走向何方、作何调整。

一、关于本体的基本理论阐释与研究

本体这个概念，本身是一个哲学概念。从本意上讲，就是指向一个问题的本来状况，也可以说是事物的根本来源。现在这个概念已经被引入到各个学科的研究阐释中。因此，本体的概念就从最初的事物本源发展到现在的多元化形态。从哲学发展史来看，关于本体的认识有三种解释，一种认为世界的本体是一种物质，比如我国古代儒家学说的观点。一种认为世

界的本体是一种精神，比如我国道家学说的观点。还有一种认为世界没有本体，认为是世界是空洞的，这是一种虚无主义思想的体现。

而现代本体的概念，一般是指向行动的内容或者工作任务。因此，教育领域中有教育本体，管理领域中管理本体，文化发展领域中有文化本体，经济发展中有经济本体，政治领域中有政治本体，社会领域发展中有社会本体，生态领域发展中有生态本体等。现代学术话语下，本体的内涵和外延日益拓展，运用范围越来越广，也越来越灵活。

二、关于教育本体相关问题的阐释与研究

一是关于教育本体的内涵与种类的阐释。将哲学本体概念引入到教育之中，就形成和发展起来教育本体的概念体系。教育本体是属于从教育系统论中构建出来的。一般都将教育作为一个系统来研究阐释，任何一个教育均可解构为教育本体、教育主体、教育客体、教育环体、教育介体等构成要素。这里的教育本体就是指工作任务或者教育内容本身。教育内容在不同层级学校、不同类型学校、不同教育中不一样，因而教育本体在教育领域展现出一副多姿多彩的发展态势。

二是关于教育本体的功能与作用的阐释与研究。一定的文化(当作观念形态的文化)是一定社会的政治和经济的反映，又影响和作用于一定社会的政治和经济。有什么样的政治和经济形态就会有什么样的教育形态，人类社会的政治和经济的发展经过了一个漫长的过程，与此相适应，教育也同样经过了一个漫长的发展过程。同样，人类对教育本体功能的认识，也是随着一定社会政治和经济的发展而不断深入与发展：从远古落后时代的“注重知识”到当今知识经济时代的“尊重生命”。教育本体具有诸多的功能，教育功能、文化功能、行业功能、理论研究功能、实践功能等都是教育本体应该具备的功能要素。

第二节　新时代高校校园文化育人的专业化发展研究

专业化发展已经成为新时代各行业发展、治理的一个主要发展态势。

教育领域的治理、发展，一样走上了专业化发展、专业化治理的大道。作为教育领域的重要工作，高校校园文化育人工作同样也需要进行专业化发展与治理模式的转型。以下将对这些问题展开研究。

一、教育治理的专业化

1. 治理专业化的基本理论

要阐释清楚治理专业化，首先需要阐释清楚治理理论。

(1)关于治理理论的阐释与研究

从产生和内涵上看，治理一词是第二次世界大战以后才出现的概念。治理与管理只有一个字的差别，但是形成背景、构成要素、秉持的理念等方面有着很大差别。一个根本的差别在于，管理更多是强调政府与主管部门的责任与作用发挥，治理更多强调的政府主导下广大社会群体参与的多种主体合力推动。治理是现代民主社会、民生管理思想的产物，是一种新型管理模式和方式。

从特征上讲，治理具有诸多特征。其一，治理强调的理念是一种民主化、大众化的理念。其二，治理强调的是一种过程管理模式，而不是一种只关注结果的管理模式。其三，从内容上，治理的对象更加广泛多样，一个国家所有问题都可以纳入到治理范畴来思考。其四，从手段和形式来看，治理的方式不仅仅依靠制度、规则，还更多强调文化、习俗等方面的作用，具有更多的灵活性和弹性，弹性空间大。

(2)关于治理专业化的阐释与研究。

在大致了解了治理的基本理论的基础上，我们再来看治理专业化的而言的。目前治理专业化，主要是针对社会治理专业化而言的。从内涵上，社会治理专业化的含义可以从治理系统的框架加以研究阐释。一是社会治理对象的专业化分工。二是社会治理模式和方法的专业化发展。这是社会治理高质量发展的要求。这两方面都是社会治理现代化发展的要求与发展路径。三是治理主体的专业化发展，主要是要求治理人员专业化，或者提升非专业人员的专业化素质和能力。四是治理的保障措施要专业化，也就是治理保障体系也要讲究专业化，要对应行业开展专业化的保障体系建设供给。五是治理的督导体系专业化发展，也就是要求治理的整个督导体系

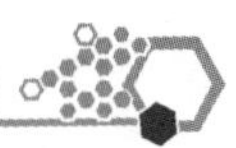

要专业化发展，不能建立与对应行业不一致的督导体系。

2. 教育专业化的基本理论

教育专业化发展是工业革命以来劳动分工下的教育发展的必然趋势和走向。因此，教育专业化发展是一个历史范畴的概念体系。

当前重提教育专业化，主要是针对教育领域或者社会领域中出现的一些教育专业化的现象提出的。教育专业化是一个范围非常广阔的理论，从教育组织来看，包括家庭教育专业化、学校教育专业化、社会教育专业化发展等内容。这些不同组织的教育专业化，一个核心内容就是教育理念、内容、方式等都要以专业化发展为价值取向，突出专业化的教育理念、教育内容、教育方式等要素的建设。教育专业化发展是教育大众化的升级版。可以这样说，教育普及后，就是教育专业化在主导教育发展，这是教育史的发展规律之一。研究教育现代化、专业化发展等走向，都需要结合整个教育发展的历史来开展研究。

3. 教育治理专业化和大学治理专业化

(1)教育治理专业化

提升教育治理专业化水平要实现教育家办学，教育是专业性极强的行业，教育行政机构和学校领导需要由专业知识背景与实践经验丰富的专家型领导担任。未来随着人民群众对于教育优质资源需求的增长，教育在国家治理中的地位会越来越重要。时代呼唤教育家办学，学校领导者应该是教育家，教育管理能力是学校领导者的重要能力。成功的教育领导者，虽不一定是某一专业的顶尖学者，却一定是深刻认识和理解教育发展规律和办学规律的人，能形成先进的教育思想与办学理念，并有能力将其应用于办学实践。在新中国教育史上，曾涌现出一批著名的大学校长，如吴玉章、陈垣、马寅初，等等。他们中有的是老一辈革命家，有的在自己从事的学科领域声名卓著，但他们被评价为教育家，并不在于职位高低或学术贡献大小，而在于他们的教育思想和治校方略。制定和完善与教育领导者相关的制度时，应将教育管理专家这一角色定位作为一项基本指导原则。

提升教育治理专业化水平需要实现教育领导与管理人员的职业化。教授治校起源于西方中世纪大学。然而，当大学组织从一个象牙塔的微缩景观发展为一个巨型机构时，人们发现让教授既充当学术权威，又作为管理人员，已是力不从心。大学作为学术机构，教学、科研等必须实现学术治理，而作为大型组织机构的特点又决定了大学必须有职业化的管理团队。清华大学经济管理学院前院长钱颖一教授的观点十分透彻：一是在学术问题上必须教师治学，二是行政问题应该职业化管理。中国大学的突出问题是一些该学术化的方面被行政化了，而一些该行政化的方面又不够行政化。院校的高效运行需要强有力的行政管理服务。现在我国各级教育管理人员尤其是高校领导者很大一部分是“双肩挑”，既从事学术工作，也从事管理工作，结果是哪边也做不好。在高等院校，学校管理的职业化就是除了校长、院长等少数职位外，大部分行政管理岗位需要由专职管理人员担任。校长、院长在担任行政管理职务期间要放弃学术活动，专职从事行政服务工作。有的领导可能是大学教授，但担任行政领导职务后，学术工作就需要暂停。当然，个别校长、教务长以及本科生院和研究生院的院长是可以保留学术职称和教师职位的，也可能担任一些相关的教学和研究工作，但在一般情况下是没有额外薪酬的。

提升教育治理专业化水平需要建设科学的治理结构和民主的治理环境。随着改革开放和市场经济的发展，学校治理应该更加开放民主。学校的治理问题，存在一个集中与民主的关系问题。教育治理的专业化就是教育领导者应该熟悉教育规律，完善治理结构，保障教师在学校治理中的主体地位。2019 年，全国人大常委会执法检查组关于检查《中华人民共和国高等教育法》实施情况的报告在肯定我国高等教育发展成就的同时，深刻分析了高等教育面临的问题与深层次矛盾，报告指出一些高校依法自主办学的能力还不强，存在行政化的惯性思维，对学术权力与行政权力的界限认识比较模糊，教师代表大会和学术委员会功能没有得到很好的发挥。高校治理要充分发挥学校和院系学术委员会的作用，防止学术权力行政化，成为以校长和院长为主组成的机构，要真正使学术委员会回归“学术”本质，真正使学术委员会成为学校和院系的最高学术权力机构和决策机构。教职工代表大会是我国民主办学的重要制度，对于调动教师和职工的积极性和树立主人翁意识、提高办学水平和民主管理水平具有深远意义，要充分发挥教职工代表大会行使民主权利和实现民主管理的重要作用。

提升教育治理专业化水平需要良好的外部环境。政府要进一步转变职

能和加大“放管服”力度，由行政本位的管理模式转向依法依规的治理模式，做到简政放权、放管结合、优化服务，把该放的真正放下去，把该管的真正管起来，既不“越权”，也不“缺位”。进一步转变政府的管理方式，依法界定政府及相关部门在高等教育治理中的职责权限，切实减少各类检查、评估、评价对高校教育教学事务的干预，发挥学校办学主体作用，让学校安安心心地发展，让教师安安静静地做好教学科研工作。教育家办学、实现办学治校的专业化与职业化、构建科学的治理结构与现代学校制度、提供良好的外部环境，这是教育治理专业化的应有之义。随着教育治理专业化水平的提高，按照教育规律和办学规律育人办学的水平必将得到极大提升，创新人才辈出的局面必将到来。涉及教育专业化、教育治理和大学治理的专业化、教师专业化等几个基本问题，可以结合党和国家教育政策与教育理论来开展研究 。教师专业化是指教师在整个职业生涯中，通过专门训练和终身学习，逐步习得教育专业的知识与技能并在教育专业实践中不断提高自身的从教素质，从而成为教育专业工作者的专业成长过程。

(2)大学治理现代化中的专业化问题的思考

从产生与作用角度来讲，专业化的发展是推动人类社会现代化进程的一种现代性力量。要弄清楚专业化发展，首先必须要梳理清楚现代化发展的问题。美国学者将人类社会发展划分为三次浪潮，认为工业化的浪潮就是现代化的开始。目前整个人类已经进入信息时代，即所谓的第三次浪潮。在工业化的发展过程中，由于人们对质量、速度等方面的要求，促使工业化基础上专业分工越来越成为现实的需要和可能。企业组织和经济行业大行其道，推动劳动分工和专业分工，随之而来的就是人才的培养要求专业化发展。正是在人类现代化浪潮和劳动分工大范围的推动下，作为培养各级劳动者的高校或者职业院校的教育工作也开始了专业化的教育，积极推动教育专业化发展。这里涉及高等教育史的发展和现代化的发展历史，这两类发展在这里交汇。当前我国正处于中国式现代化进程中，教育强国正在作为重要支撑发挥着巨大作用，教育专业化发展、专业要强正是其中的必要元素。因此，从现代化角度看，教育专业化发展和大学治理专业化发展是现代化事业发展的要求。

大学治理专业化发展是大学自身建设发展的必然要求。大学这种现代教育机构是现代化发展的产物，是人类社会走向现代文明社会的产物和需要。大学内部的各个院系就是进行教育专业化、培养专业化人才而建构起的配套组织，具有非常强的专业性。从各个组织的专业化的建构到学生的专业班级的建立，从专业的课程的开设到教师的专业化分类，从学生的专业化学习到教师的专业化教学，从专业化教学到专业化的科研、教研等开展，从学生进校的专业化学习到毕业时的专业实习和专业就业等，无一不体现了大学的专业化特征。这其实主要从专业分类分工发展来谈及和阐释大学的专业化特征。另外，也可以从教育与经济领域的不同来谈，大学具有专业化的特征，大学不是经济组织，是教育组织，具有教育行业的特征，遵循教育的规律，包含教育的发展逻辑。因此，大学治理专业化，一是从大学本身各类专业化现象来研究阐释大学治理的专业化，二是从大学与其他行业的不同来研究阐释大学治理的专业化。

大学治理专业化建设主要应该包括哪些内容？这是提升大学治理专业化品质的关键要素。大学治理专业化发展，首先需要大学管理队伍的专业化发展，这是其中一个比较核心的内容之一。从管理学的角度来看大学治理的专业化，首先体现在大学管理的专业化上。从校级层面的管理到学院级别的管理，再到具体层面的管理，大学治理的专业化体现在这些方面的专业化发展。一所大学是按照专业分工建构起来的学院组织构成，这些不同层级的管理者都是有专业背景和专业分工的。

除了管理队伍的专业化外，还有管理理念的专业化、管理内容的专业化、管理的保障体系专业化、管理的督导体系专业化发展等方面内容。其中，管理理念的专业化，主要是指管理所追求的价值取向的专业化发展，这其中有两个含义，一是管理理念的专业化要符合管理专业的要求，二是管理理念的专业化要符合管理所在学院的专业化特点。管理内容的专业化，这方面主要是因为管理的对象具有专业化的特征，不论是院系的管理层面，还是行政部门的管理层面，都面临管理内容的专业化问题，比如政治学专业的管理队伍，除了按照一般管理的要求展开管理，还必须要考虑到本学院的专业特色开展管理，那就是管理内容的专业化发展。管理的保障体系也要求专业化发展，除了关注一般的管理要求外，要根据管理所在

学院的专业教学、专业学习、专业管理等方面的要求，积极做好人力、物力、财力等方面的专业化保障，力求保障体系专业化发展。管理的督导体系一样需要专业化发展，尤其是其中的督导人员要专业化发展，配置专业化的人员参与督导，同时，管理质量的考核评价标准的设计和构建必须专业化，要针对不同学院、不同部门的实际情况和要求，结合教育管理现代化、学校管理现代化和教育强国等方面的要求，设计和制定出标准化、专业化和科学化的管理质量评价体系。另外，管理的方式和手段的专业化发展包括采用科学化的方式，比如大数据、网络技术、信息化手段与计算机等现代办公工具。大学治理是依法治理，是讲规则的治理，因此，大学治理法治化也是大学治理专业化的体现之一，

从组织结构来看，大学治理应该建构专业化的治理结构并推动管理治理的运行。按照马克斯韦伯的观点，现代组织都应该采用一种科层制的管理结构运行。大学从产生开始到现在，一直在沿着科层制的轨道前行，不过随着民主政治的发展、人类文明社会的发展，人们的民主化、自由化、科学化的要求增加，大学自身的组织结构也开始需要向民主化、宽松化发展，向更有弹性的方向发展，所以大学组织结构有一种越来越扁平化的发展走向。

根据以上的研究和阐释，当代中国大学治理专业化建设应该抓住以下几个关键问题来推动。

一是从管理者的建设与考核管理来看，要更加注重大学各级管理者的选拔任命及考核机制。党委领导下的校长负责制是我国大学治理体系的核心，大学治理专业化首先要求打造专业化的党委书记和校长队伍。为此，需要注重大学党委书记与校长等校级管理者的选拔任命及考核机制，即按上文中所述的大学校级管理者专业素养的基本标准来选拔任命大学党委书记或校长，建立一支具有卓越领导力、深谙学术发展管理的教育家型管理者队伍。在对校级管理者进行考核过程中，除了首先关注其必要的思想政治素养维度外，应加强以提升学校发展质量为标志的治理业绩的考核，从而引导党委书记与校长强化培养专业化治理能力并致力于学校发展事业。同理，大学在选拔任命行政部门及院系管理者过程中，亦应强化治理素养在人才评价体系中的权重，以专业化治理为导向打造一支具有服务意识、

创新创业能力的专业化管理队伍。显然，管理者队伍的专业化建设亟须打破既有模式，尤其需要将治理者的学术治理素养提升到更高位置，这是由大学作为一个特殊社会机构即学术机构的属性与逻辑所决定的，学术治理素养是大学管理者的必备特质。

二是必须要切实落实和保障大学办学自主权，严格去行政化的发展走向。大学的学术组织属性决定了大学治理专业化必须确保专业权力的相对独立性及其参与治理权。就大学而言，其要按学术组织或专业共同体的逻辑来运行，前提是能够面向社会和市场所需独立办学，尤其是大学党委书记与校长能够主要以专业的逻辑实施治理，从而引领大学内部治理文化走向学术创新。而这显然需要政府真正转变职能和对大学的管理方式，赋予并落实大学的独立法人地位及其相关权限。为此，需要各级政府严格遵循国家关于推进管办评分离和优化“放管服”改革的政策导向。此外，大学治理的专业化还必须高度重视并适时地引进社会参与治理，以突破行政中心主义桎梏，尤其是以专业化、独立化及市场化为特征的第三方评价机制将逐渐成为引导我国大学改革的一股重要力量。第三方评价的参与有利于推进大学治理的专业化，但同样需要政府进行一定的权责让步。当然，第三方参与亦需要相应的政府规制，以避免商业化追求对公共价值的侵蚀。同样，在大学内部，专业力量要真正在治理中发挥实质性作用，也需要具备相应的权能空间，而这亦需要以校级管理者为主的政治和行政权力更加注重大学治理的专业化，更好地发挥学术组织和教授治学的作用。

三是以全面依法治国为重大契机，大力推动大学治理的法治化进程。大学办学自主权的实施与保障，大学内部学术权力由边缘走向中心，第三方机构在大学治理中独特功能的发挥，在很大程度上取决于不同层级行政权力作用方式的转变。没有政府积极转变职能，没有大学内部行政管理者向服务者的转型，学术本位的治理结构就无从建立。而现实中，恰恰是各级行政管理者始终难以从行政化运行习惯中解脱出来，导致大学管理模式转型还存在一些问题。政治文明往往需要法治的规制才能跨向更高发展阶段，大学行政主义管理要转向专业化治理新模式，需要坚持落实高等教育法治化治理原则。法治化是现代化的重要内容之一，同时也是现代化建设的重要保障。通过法治化来规范大学内外各利益相关者权责，是优化大学

治理结构的必要途径，是我国大学实现“去行政化”的必然选择。为此，要完善高等教育法律法规，进一步明确大学的核心自主权；在大学内部强化依章管理，在章程中载明各权力主体的权责，并设计好权责运行方式。在我国大学治理法治化进程中，尤其需要加强法治问责，以此来增强法治效力，真正实现有法必依，避免依法、依章治理流于形式。按照全面依法治国的要求，推动大学治理法治化，就必须要把握依法治理的几个环节，大学管理的立法工作、执法工作、司法工作、守法环节等必须要一一贯彻落实，以此建设法治型高校，这都应对照依法治国的要求，结合大学办学的特点和任务积极开展，推动大学治理法治化。

四是以信息化时代为契机，大力推动大学治理信息化发展。当代中国正处于信息化飞速发展的时期，各行业都在大力推动信息化发展，中国在这方面已经走在全世界前列。这一方面，现代大学管理基本实现了各个方面的信息化发展，告别手工管理的时代，进入了管理信息化的时代。在这个管理信息化时代，必须要注重处理信息化时代给大学治理带来的风险和挑战，必须要以安全和健康为第一标准，在这个前提下积极推动大学治理信息化安全健康发展。另一方面，应该放在网络强国的视角，积极研究大学治理信息化、网络化、数字化和智能化等方面的相关问题和具体对策，这是处于人类社会第三次浪潮下大学治理专业化发展的应有内容。

4. 高校教师专业化

关于教师专业化的理论，不是一个新的研究话题，应该说有了教育的现象，就有了教师专业化的问题。教师专业化发展，是近代高等教育专业化发展的产物和主要内容。随着教育高质量发展的要求和教育强国的要求，对教师专业化发展的研究和探索日益受到更加重视和关注，成为近几年研究的一个热点和焦点问题。以下将结合学术界研究以及现实推进情况，就教师专业化相关问题作初步阐释。

从内涵上看，教师专业化是一个综合性较强的概念。可以从狭义和广义的角度来阐释研究。从狭义上看，教师专业化，就是指教师的专业化学习、专业化成长、专业化发展等要素在内的一个体系。从广义上讲，教师专业化，还应包括教师专业化的开展教学工作，教师专业化的各种成果以及学生的成长。简单讲，就是教师从一个不专业的状态发展到一个专业化

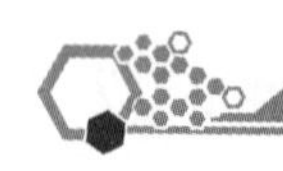

的状态。这其实也是教师本身在教育强国、中国式教育现代化背景下的现代转型、现代化发展的一个集中体现，因此，教师专业化的概念，是与教师现代化紧密相联系的一个概念体系，本质上就是教师的现代化发展体现。除了与教师现代化相关外，教师专业化还是与教师职业生涯、职业成长相互关联的一个重要部分。教师的专业化发展是在教师职业生涯中完成并在教师职业化水平提升中逐渐成熟起来的。因此，要研究和阐释清楚教师专业化问题，必须要把握教师专业化、现代化、职业化等方面的关联性。

教师专业化的标准就是教师专业化所包括的内容与要素。这其实是在研究和阐释教师专业化的结构问题。因此，可以将教师专业化问题作为一个系统性、综合性问题开展研究。一是包括教师专业化的知识、技能、素养、观念及展现出来的专业化的课堂教学活动及其成果、教学研究活动及其成果、科学研究活动及其成果。二是教师专业化的检查和评估活动也是其中的重要内容。三是教师专业化发展获得的各种奖励。四是教师专业在学校、社会等中享受到的声誉、地位、待遇。五是教师专业化发展，包括教师专业化的硬件和软件的发展情况，其中，教师专业化的软件主要是指教师专业化的精神、态度、心理等方面的情况，教师专业化的硬件主要是指教师专业方面的知识以及在实际工作中展现出来的专业化水平，当然也包括学校关于教师专业化发展的管理和建设制度体系，以及提供的相关培训体系。六是历史学视角下对教师专业化发展的阐述，可以将专业化过程划分为专业化前、专业化中、专业化后等三段式链条发展阶段。

教师专业化发展的目标是多重目标的统一体。教师专业化发展有教师个体层面的目标，即通过教师专业化发展，提升教师工作中的专业化水平、职业化素质与能力，提高教师工作的效能与质量，提高教师个人的地位，乃至个人收入。教师专业化发展有学生个体层面的目标，主要是能够更好培养具有专业化能力和水平的学生，促进学生专业知识、专业技能与专业能力的提升，在此基础上促进学生更好推动德智体美劳素质的发展，做一个时代新人。教师专业化发展有学校层面的目标，即提升学校教师队伍专业化水平和能力，提高学校教师管理的效能和质量，促进学校教学、教研和科研的专业化发展和高质量发展，助推学校软实力和硬实力的提

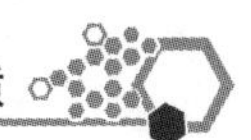

高。教师专业化发展有国家层面的目标，即教师专业化发展要紧扣当代中国式现代化的时代要求，积极培养中国式现代化需要的人才，为中国式现代化提供人才支撑和思想共识，推动中国式教育现代化发展和教育强国的实现。这些不同层面的目标从不同层面、不同角度为推进高校教师专业化前行发展带来不同的动机动力，形成了前行的强大合力，推动教师专业化一路前行。

教师专业化发展需要长期的积淀，是一个循序渐进的过程。从哲学角度看，教师专业化发展是涉及众多要素的一个综合性工程。从主体推动力量上讲，高校教师专业化发展，首先需要教师群体自身的专业化学习和实践，这是推动教师专业化发展的内在力量。其次，学校作为教师专业化发展所在的组织，应该积极从条件、环境、制度、教育培训等方面为新时代高校教师专业化发展提供保障和督导。再次，学生群体是教师专业化发展的外在驱动力，发动学生定期对教师专业化教学工作进行评估，能在一定程度上倒逼教师专业化发展不断完善。最后，社会层面是教师专业化发展的社会推动力，比如与教师专业化相关的组织，通过为教师专业化实践能力提升提供平台，不断提升教师专业化的实际应用能力，以更好服务社会。

高校教师专业化发展水平有一个成熟度的标志。这个成熟度的指标体系主要包括专业知识与技能、专业实际活动开展情况、教育学与心理学方面的知识与技能、专业精神与专业责任、专业制度、专业保障条件、专业的对外交往和社会服务水平等方面的情况。

其中，专业知识和专业技能、专业实际活动的开展情况是高校教师专业化发展成熟度的一个最核心标志。这方面的指标有以下几个方面：一是对专业的教育意识、课程意识、服务学生及社会意识、问题意识。二是对专业所在学科的相关知识、理论、问题、技能等方面的把握程度。三是对专业活动的开展情况，比如专业教学、专业科研、专业教研等方面的开展情况。

教育学和心理学方面知识和技能的把握与运用是高校教师专业化发展的第二个核心指标。作为高校教师，其专业化的程度与发展程度，除了涉及对所在专业的相关问题的把握外，就是涉及对专业所在的行业的基本学科素养和能力的要求。对教师来说，就是看对教育学、心理学等教育相关的学科的知识和技能的把握与实际运用情况如何。

高校教师专业化发展的成熟度，除了与教师自身内在因素相关外，还与国家、学校供给教师的专业制度体系有很大关系。一是国家层面对教师专业化发展水平的衡量的制度，比如教师培训制度、教师资格证制度、教师聘用制度、教师专业奖励制度、教师专业的发展制度等。二是高校层面具体落实党和国家对教师专业制度的规定，包括具体制定和出台的相关制度、规则等。

高校教师专业化发展提供成熟度的另一个体现就是学校能为教师专业化发展的保障条件。比如教师专业化的学习制度、培训制度、奖励制度等。

高校教师专业化发展的成熟度也指教师本身所拥有的专业精神。这种专业精神是内在的，表现为对专业的热爱、对专业发展的责任和努力程度、对专业发展的推动程度、对专业化学习的坚持程度。

以上关于高校教师专业化发展的成熟度的标志，是推动高校教师专业化水平发展的动力，也是前行的方向。

二、新时代高校校园文化育人的专业化发展

对大学治理专业化、高校教师专业化发展的研究阐释，为探讨研究新时代高校校园文化育人的专业化发展及其相关问题提供了基础和前提。没有大学治理的专业化和高校教师的专业化发展及其研究阐释，很难阐释清楚新时代高校校园文化育人的专业化发展问题。以下，将在大学治理专业化、高校教师专业化的前提下，研究阐释高校校园文化育人专业化发展的原因和可能推行的路径及具体办法。

1. 文化育人专业化发展和校园文化育人专业化发展的基本理论阐释

在教育专业化发展的背景下，高校各项教育都处于专业化的发展模式。文化育人作为高校育人体系之一，也必须要走向专业化发展的轨道，当然综合化发展的路径也不能丢掉，应在综合发展中走向专业化发展。

文化育人专业化发展理论的基本内涵主要包括以下几个方面：一是要突出文化的专业化特点，要针对受众对象的情况，建构专业化的文化内

容，主要开展与对象专业、职业、事业相关的文化建设。二是要突出教育的专业化，文化育人重在育人，因此要体现教育的专业化特点，这也需要根据教育对象、教育内容，积极探索教育模式和教育方法的专业化发展。从分类来讲，不同场域都存在文化育人的现象和问题，学校、家庭、社会及各个组织都有文化育人的责任，都应文化育人的担当，这不仅是组织发展的需要，更是中华民族文化强国的需要。三是从要素上讲，校园文化育人专业化发展，包括校园文化育人系统中各个要素的专业化发展，比如理念、主体、客体、平台、本体、方法方式、保障与督导等方面的专业化发展。

文化育人的历史过程研究和阐释，可以从高等教育发展的历史来解读，也可以从我们党的百年奋斗历史来解读。高校校园文化育人具有深厚广阔的历史基础和传统。

从高校教育的发展历史来解读，高校校园文化育人是高校教育发展历史的一个缩影，从新中国成立以后，高校在党的领导下，致力用先进的思想、先进的文化、先进的理论来教育广大青年学子，推动了校园文化育人走过不同寻常的征程。如果要分阶段来阐释，可以根据新中国的发展推动高校校园文化育人来进行解读和阐释，1949—1966 年，新中国成立后在社会主义改造和全面建设社会主义时期，高校奋力推动校园文化育人，这一时期的显著特点是政治性强。从 1978 年改革开放到 2012 年，高校在党的领导下，坚持四项基本原则，加快学校改革发展，校园文化育人走上了改革创新的发展道路，从理念到内容，再到形式，各个方面都发生了翻天覆地的变化，取得重大的成就，产生了重大影响。2012 年至今，中国特色社会主义进入新时代，高校按照国家四个全面战略、五位一体总布局的要求，积极推动学校改革、发展和稳定工作，推动各项工作全面深化改革、全面依法治国落实，校园文化育人的改革力度和法治化建设大大加快。

从党的百年奋斗历史来讲，文化育人是我们前行中一直在努力推动的工作，党一直将文化育人置于国家现代化发展的历程中推动，置于文化现代化和教育现代化进程中推动。从我们党的百年文化育人历史来看，中国共产党的百年历史就是不断开展文化育人的历史，在不同时段用先进文化来教育人民，取得了革命、改造、建设、改革开放和新时代的伟大成就。

这里的文化育人，不仅是校园文化育人，更是从党的角度研究阐释我们党如何用文化育人来开展工作，来推动不同时期中心任务的高质量完成。

延安时期我们党初探文化育人体系，以培养“革命者”为育人目标。这一时期，中国共产党领导的学校教育初步探索文化育人体系，以革命文化育人，培养满足革命战争需要的革命者。在马克思主义指导下，中国共产党运用革命文化进行学校文化教育，使学校进入战时革命文化育人状态。这一时期，学校的育人内容、育人目标、育人措施围绕着革命展开，学校教育是整个革命事业的有机组成部分。学生所学到的马克思主义、爱国军事政治知识和各种技能基本都是为了革命和战争服务，这为新民主主义革命的胜利提供了重要保障。

新中国成立到 1966 年，初步探索建设文化育人体系，以培养“建设者”为育人目标。中华人民共和国成立后，为了进行社会主义革命和建设，中国共产党继续推进文化育人体系建设，在马克思主义指导下坚持批判性继承原则，主张对传统文化进行改造。在这一时期，为了进一步推动学校文化育人体系的顺利构建，探讨马克思主义与中国传统文化的融合之道，巩固马克思主义在文化中的主导性地位，中共中央倡导对传统文化进行批判性继承。

1978—2012 年，改革开放时期的文化育人工作，重构文化育人体系，以培养“四有新人”为育人目标。十一届三中全会后，中国共产党将工作重心果断转移到国家的经济建设上，开启了进行现代化建设的新征程。同时，党中央在思想文化层面重新确立了马克思主义实事求是的思想路线。这种思想路线在学校教育工作上表现为：中国共产党重新审视学校教育，重建学校文化教育体系，注重对国人的科学、文化素质的培育，提高人民大众的思想文化水平。这一时期，中国学校教育重新探索文化育人体系，对待传统文化从之前的否定转变为批判性继承，同时提出了育人新要求，注重对学生整体思想文化素质的提升。

2012 年至今，党的文化育人也进入扩充完善阶段，强调对青年学生“德智体美劳”的时代新人培养。20 世纪末，我国持续扩大开放领域，加快现代化建设的进程。在这一过程中，西方文化的涌入引发了一定程度上的“西化”思潮，而此时中国与社会主义市场经济相适应的新的学校育人体系

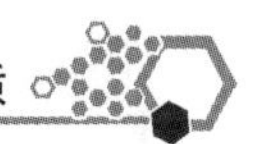

尚未完善。当时国人关于“人文精神危机”的大讨论指向我国教育中存在的传统文化价值观缺失的问题。除此之外，学校教育为适应第三次科技革命浪潮的冲击，培育了大批熟练操作应用的各种专业技术人才，这一举措也使重科学技能教育轻人文素质教育、重专业化教育轻综合化教育的人才培养弊端渐渐显现。在这一形势下，应不断丰富文化育人体系的内容，积极推动中华优秀传统文化融入学校教育、促进学生的全面发展成为重要的教育举措。至此，中国共产党领导的学校文化育人体系基本成型。

2. 校园文化育人专业化发展的原因

新时代高校开展校园文化育人活动是基于多个方面原因的考量。这些因素主要包括国家层面、高校层面、青年学生层面。这些来自不同层面的因素，其实为新时代高校校园文化育人工作开展提供不同的思考角度和可能推动的路径及具体对策。

一是国家层面上提出坚持文化自立自强、建设社会主义文化强国的需要。党的二十大报告提出推进文化自信自强，建设社会主义文化强国，这一重大部署要求所有地区、所有行业、所有组织、所有群体要有文化担当、文化责任、文化使命。作为文化传播地及承载重镇的高校，面对这样一个中华文化发展的大好时代，更是责无旁贷义不容辞，更应该肩负光荣的文化担当。完成这一伟大的使命，需要高校每一个部门做出努力和贡献。高校校园文化育人工作在这样的文化发展背景下，更需要积极作为、有位有为。

二是提高国家文化软实力、提升国家综合竞争力需要加强高校校园文化育人工作。美国著名学者托夫勒早就提出，一个国家综合实力不仅仅只体现在经济、科技、军事等方面，更应依赖强大的文化、制度、价值观、思维方式等方面的实力。国家之间的竞争还表现为文化竞争、意识形态的竞争。高校作为整个国家文化软实力发展的重镇，其文化发展如何、意识形态建设如何直接关系到国家的国际竞争力。在这种背景下，推动新时代高校校园文化育人工作具有了更为深厚的国际背景和国家发展重任。

三是从教育层面上讲，高校自身文化建设、精神文明建设和提升高校竞争力等也需要大力推动高校校园文化育人工作。新时代的中国，国内高校云集，高校发展也存在很大差距，其中最大的差距就是文化的差距。这种文化差距体现在专业文化、教学文化、科研文化、学生工作文化、校史文化、革命文化与优秀传统文化等方面的宣传教育。在这种文化差距与竞争背景下，新时代高校校园文化育人工作还需要为学校文化实力提升、精神文明建设等方面做出应有的贡献和努力。

四是从青年学生角度看，青年学生群体文化素养体系发展的不平衡不充分与全面成长发展之间的矛盾需要高校开展校园文化育人工作。校园文化育人的对象是学生群体，因此学生群体的情况是新时代高校校园文化育人工作开展的最大内在驱动力。放眼当下，青年学生群体具备的文化素养情况不完整，对现代的科技文化、网络文化、物质文化等方面接受过多，对现代的哲学科学文化、革命文化、中华优秀传统文化等接受不足，这是新时代高校校园文化育人工作急需推动的一个直接原因。

五是青年学生对美好生活的期待，需要加强高校校园文化育人工作，人类任何活动都是为了美好生活而准备的。党的十九大报告提出当今发展的不平衡不充分与人民对美好生活向往之间的矛盾是当代中国的主要矛盾。对高校来说，青年学生对美好生活的期待就是高校各项工作的根本出发点和落脚点。青年学生对美好生活的期待是非常多的，有物质层面的美好生活期待，也有精神层面的美好生活期待。这些不同层面的美好生活期待都是高校各种工作改革创新的强大推动力和不竭动力。在满足青年学生群体美好生活期待的时代大背景下，高校校园文化育人有了更好的前行动力。

3. 以教育治理专业化推动校园文化育人的专业化发展路径

在明确了新时代高校校园文化育人的原因的基础上，我们可以运用教育治理专业化的理论，针对校园文化育人当下存在的不同问题，从不同角度构思和探索高校校园文化育人高质量发展的专业化路径和具体对策建议。这些路径和建议大致有如下构思：一是切实树立专业化理念，重构新时代高校校园文化育人的理念体系，引领其专业化发展。二是加强校园文化育人主体的专业素养和专业技能，不断夯实校园文化育人的专业化主体力量。三是加强校园文化育人内容的专业化对接、专业化转型发展，不断增强提升新时代高校校园文化育人的内在品质，提升其专业化品质和普及品质。四是加强校园文化育人的各类实体和网络平台、方式的专业化发

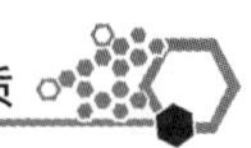

展，推动平台方式的专业化转型发展，更符合专业化育人的要求和特点。五是加强校园文化育人专业化发展的各项保障建设和督导建设，不断增强新时代高校校园文化育人专业化发展的保障供给和督导力量。

第三节　新时代高校校园文化育人精细化发展研究

高校校园文化育人专业化发展，旨在提高新时代高校校园文化育人的行业水平和增强行业属性。高校校园文化育人精细化发展，更多主要针对学生的实际需求，包括对未来美好生活的各个方面的需求，面对校园文化育人中的问题，力求精细化精准化开展文化育人。这一部分，主要在研究和阐释教育治理、教育管理精细化的基础上，研究阐释新时代高校校园文化育人精细化的基本理论框架、实行的原因、存在的问题及相关对策，以此服务当下校园文化育人的精细化精准化发展。

一、教育治理与管理精细化的基本理论阐释

1. 管理治理精细化的基本理论

管理的发展历史中，有一个从粗放化管理到精细化的科学管理的过程。这可以从管理的发展历史展开解读。管理及管理学的发展历史，主要是从企业管理开始的。经验管理走向科学管理，是经济现代化发展和企业现代化发展的必然过程。精细化管理是专业化管理的延展和深化，是一种新的管理思想、管理文化、管理模式和范式，是科学化管理体系发展中的重要内容。科学管理主要有三个梯队，一是管理要规范，二是管理要精细，三是管理要有特色有个性化。

管理精细化或者精细化管理，除了现实的依据和基础，有历史发展 的推动外，还有自己的理论依据和理论发展逻辑。拥有科学管理之父的泰勒在全世界第一个提出工作的精细化管理，这是一个重大贡献，是他长期探索企业管理、车间管理效能提升的一个重大成就。最早提出和最早实验精细化管理模式的就是美国的泰勒。

精细化管理或者管理精细化的内涵其实很简单。这是劳动分工的进一

步体现，是劳动分工的产物。精细化管理是坚持将工作内容进行分工，分到每一个人，让每一个明确自己的责任，知道自己应该干什么。对劳动进行合理科学的分工，将工作任务进行分工，这就是一种精细化管理。区别于以往的粗放式管理，体现了管理的针对性、有效性。这是管理实践上本身的一个重大发展，也是对管理理论的一次重大创新。究竟如何管理才能更有效率更有质量？这是一个与人类历史一样悠久的问题。只不过直到现在，我们才在理论上、学科上形成了更多的认识及更完整的解读和阐释，对人类的管理实践才有了更好的指导意义。

精细化管理与专业化管理是一种管理的两个方面。精细化管理，也可以称之为精准化管理，是一种将专业化管理引向深入的一种管理模式，与专业化管理紧密联系，两者不可分开。放眼现实，不论在国家管理、城市管理、乡村管理，还是行业管理与组织管理，都需要做到精细化管理，也要求做到专业化管理。这两种管理模式各有侧重点，在推动一个组织、一个行业发展时，两者应该可以同向而行，同向发力，一起提高管理质量，一起推动管理实践发展和管理理论发展。

2. 教育治理精细化与高校治理精细化的基本理论

从内涵上看，教育治理精细化是治理精细化的延伸和拓展。治理精细化是与治理粗放化相对的。教育治理精细化，是与教育治理粗放化对照的一个基本概念和理论体系。教育治理精细化，主要包括治理内容的精细化、治理方式的精细化，注重每一个治理细节的建设与推动，是教育管理的一次升级，是教育管理现代化发展的具体体现。

从构成要素上讲，教育治理精细化理论主要是指教育治理整个系统的精细化发展。教育治理精细化，主要包括治理理念的精细化、主体的精细化、内容的精细化、平台和方式的精细化、保障的精细化、督导的精细化等要素。这些不同层面要素的精细化管理，形成新时代教育管理精细化的强大动力，形成教育发展的强大合力。

二、以教育治理精细化推动校园文化育人的精细化发展

1. 校园文化育人精细化的基本理论研究阐释

校园文化育人精细化来自教育治理精细化和教育精细化发展。其基本

内涵就是校园文化育人应该更加坚持问题导向、学生导向，注重为学生提供更有针对性的文化美餐，放弃粗放式的文化育人模式，走向更加生动、更加接地气的发展状态。

从构成要素来讲，校园文化育人精细化理论，要研究校园文化育人的理念、主体、本体、平台和方式、保障和督导等方面。

校园文化育人精细化的基本问题主要涉及以下几个问题：一是什么是校园文化育人精细化。二是为什么要大力推动校园文化育人精细化发展。三是如何推动校园文化育人精细化发展。第一个基本问题，是研究阐释新时代高校校园文化育人精细化涉及的各种基本概念的内涵、结构和要素、功能等问题。第二个基本问题，是阐释新时代高校校园文化育人精细化的历史依据、现实依据、时代依据及学理依据，研究阐释其中的内在逻辑问题。第三个基本问题，是研究阐释新时代高校校园文化育人精细化的具体实施路径和相关对策。以下将就这些问题一一进行研究和阐释。

2. 新时代高校校园文化育人精细化的原因

推动新时代高校校园文化育人精细化发展，主要是基于国家治理精细化发展下教育治理与教育的精细化发展、学生层面发展的精细化要求、高校发展本身的精细化走向等方面的因素考量。现实层面的直接原因，就是当下高校校园文化育人精细化发展的不足。

一是国家层面的原因，展现了国家治理精细化发展需要大力推动教育治理与教育的精细化发展。当下国家层面的治理现代化建设奋力推进，其中一个走向就是治理精细化发展。在这种背景下，所有行业所有组织都必将走向治理精细化发展的轨道。教育治理和教育发展走向精细化就是其中的应有之义，在这样的背景下，高校校园文化育人必然会选择走向治理精细化。

二是学生层面的原因，展现学生事务和学生诉求等方面需要开展文化育人的精细化。新时代学生的发展要求越来越多，他们的期待也越来越多，简而言之就是精细化的发展要求、精细化发展的期待。在这种背景下，推动新时代高校校园文化育人活动精细化发展势在必行。

三是高校的高质量发展，也需要大力推动文化育人的精细化发展，彰显了高校发展本身的精细化走向。当下高校的发展也已经从数量增长型转到质量发展型，走上内涵式发展的道路，必然要求注重各个方面的精细化发展。在高校精细化发展的大背景下，校园文化育人精细化发展是必然的选择。

四是当下校园文化育人工作本身的情况，需要大力推动校园文化育人精细化改革创新发展。以精细化发展的要求来审视，高校校园文化育人工作推进还存在诸多的不足，其中一个问题就是育人内容、方式的精准化不足，对教育受众要求的精准教育做得非常不够。

3. 推动校园文化育人的精细化发展路径

结合我校实际，推进新时代校园文化育人精细化发展的总体思路，要把握学校实情，继承学校个性化、特色化育人发展的光荣传统，借鉴其他学校校园文化育人精细化的有效做法，建构起新时代荆楚理工学院校园文化育人的精细化模式，不断提升校园文化育人质量。

把握学校实情，夯实新时代荆楚理工学院校园文化精细化育人的现实基础。把握学校办学的历史。荆楚理工学院是2007年3月经教育部批准成立的一所省属全日制普通高等学校，由荆门职业技术学院和沙洋师范高等专科学校合并组建而成。

把握学校校园文化育人的可供资源。学校位于湖北省荆门市中心城区白龙山下，依山傍水，风景秀美，文化历史底蕴深厚，是一座山水园林式大学。校园占地面积2 400余亩，校舍建筑面积38.98万平方米。教学科研仪器设备总值1.588亿元，图书馆馆藏纸质图书139万册，采用了成蹊智能图书管理系统，拥有各类电子资源数据库21个。学校教学科研设施齐备，宿舍区运动场集中连片，校园无线网络覆盖全校，生活便利，条件优良，是读书求学理想之处。

把握学校人才培养的总体模式。学校坚持立足地方、产教融合、科教融汇、协同育人，以人才培养为中心，努力培养具有良好的思想政治素质和人文素养、扎实的学科专业基础、较强的创新创业精神和实践能力的应用型高级专门人才，建设特色鲜明的高水平应用型本科院校。学校紧紧围绕人才培养这一目标，探索构建学校教育和社会教育两大协同育人体系，打造通识教育课程、专业主干课程、个性发展课程三大课程平台，实现人才培养过程中通识教育与专业教育的融合、全面发展与个性发展的结合、

应用性与学术性的结合、信息技术与教育教学融合的四个融合，形成了应用型人才培养模式。

明晰学校发展的主要部门和师生规模。学校设有16个教学学院(部)，开设本科专业43个，专科专业13个，涵盖理、工、农、医、文、教、管、艺等8大学科门类。有全日制普通在校生19 000余人，其中本科生15 000余人。学校建有校内外实习实训基地143个，有直属附属医院2家，教学医院2家。学校现有专任教师1 000余人，高级职称教师近400人，硕士及以上教师800余人。

把握学校现有的校园文化育人的专业平台。学校现有湖北省“十四五”优势特色学科群2个(“绿色化工与制药工程”“智慧农业与优势农产品加工”)、国家级一流专业建设点1个，省级一流专业建设点14个。机械设计制造及其自动化、化学工程与工艺、印刷工程、食品科学与工程、计算机科学与技术等5项为湖北省本科高校“专业综合改革试点”项目。化学工程与工艺、食品科学与工程、计算机科学与技术、电气工程及其自动化、植物科学与技术等5项为湖北省高等学校战略性新兴(支柱)产业人才培养计划本科项目。物联网工程、小学教育、学前教育、广播电视编导等4项为湖北省普通本科高校“荆楚卓越人才”协同育人计划项目。有教育部产学合作协同育人项目66项，“荆楚理工学院-中兴通讯信息学院”为湖北省高校试点学院改革项目。有国家级校外实训基地1个(荆楚理工学院-中印南方印刷有限公司工程实践教育中心)，湖北高校省级示范实习实训基地1个(湖北三宁化工股份有限公司)，湖北高校省级大学生校外实习实训基地4个(中印南方印刷实习实训基地、湖北省金龙泉集团有限公司食品科学与工程实习实训基地、湖北省服务外包人才培养(训)基地、荆门市东宝区教育局教师教育实践基地)。有省级优秀基层教学组织12个、省级教学团队8个、省级一流本科课程29门、省级课程思政示范项课程1门、省级精品视频公开课1门、省级精品在线开放课程3门。大学生创新训练项目国家级139项、省级407项。省级优秀学位论文141篇。承担国家级“新农科”研究与改革实践项目(地方涉农高校服务乡村振兴战略模式研究与实践)1项，承担省级以上教育教学研究课题53项，获省级教学成果奖一等奖1项、二等奖5项、三等奖8项。

把握学校校园文化育人的研究平台。学校建有一批省市科研平台，其中，“科创中国”产学研协作类创新基地1个、湖北省协同创新中心1个、湖北省重点实验室1个、湖北省产业技术研究院1个、湖北省荆门医药工业技术研究院1个、湖北省工程研究中心1个、湖北省新农村发展研究院1个、湖北省人文社科重点研究基地1个、湖北省知识产权培训中心1个、湖北省企校共建技术研发中心11个、荆门市产业技术研发和高新技术企业孵化基地5个。近五年来，学校建有绿色催化材料与技术在制药中的应用等6个省级科技创新团队；承担国家、省市科研项目410项，其中，国家自然科学基金和国家社会科学基金项目6项。承担企业委托横向科研项目442项；获省市科技、社科成果奖26项，拥有各类专利660件。学校教师在核心期刊发表论文625篇，被SCI等权威检索系统收录327篇。《荆楚理工学院学报》先后被评为全国优秀社科学报、全国地方高校优秀学报、全国质量进步社科学报，其“传记文学研究”栏目先后被湖北省高等学校学报研究会和湖北省新闻出版广电局评为“特色栏目”。《荆楚学刊》先后被评为全国优秀社科学报、湖北省优秀期刊，其“荆楚文化研究”栏目荣获湖北期刊“特色栏目奖”。

立足学校对外交流的校园文化育人平台。学校先后与长江大学、湖北工业大学、武汉工程大学等高校开展硕士研究生联合培养，与芬兰瓦萨应用科技大学、美国长岛大学、法国卡昂大学、俄罗斯喀山国立技术大学、泰国乌汶大学、菲律宾国家大学、西班牙巴塞罗那大学、英国博尔顿大学、新西兰怀特克里夫学院、德国比勒费尔德中等企业应用技术大学、中国澳门地区澳门科技大学等20余所国家或地区高校建立了校际交流合作关系。与新西兰怀特克里夫学院联合举办数字媒体技术专业中外合作办学本科项目，获教育部批准并于2022年秋季学期开始招生。学校从2013开始招收留学生，先后有286名留学生来我校学习。开设有口腔医学、市场营销、计算机科学与技术、制药工程四个全英文授课本科专业，并针对留学生汉语言水平，开设有国际汉语初级班、中级班和高级班。

珍惜学校发展的美好荣誉。学校先后被授予国家节约型公共机构示范单位、湖北省高校毕业生就业统计规范管理先进单位、湖北省平安校园、湖北省文明单位(校园)，校团委被授予全国五四红旗团委等荣誉称号。

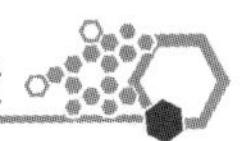

2014 年，学校成为湖北省首批地方本科院校转型发展试点学校；2015 年，学校成为首批“教育部-中兴通讯 ICT 产教融合创新基地”。2016 年，学校顺利通过教育部本科教学工作合格评估。2020 年，学校入选“国家教育现代化推进工程中西部高校基础能力建设工程”。2022 年，学校大学生创新创业园被评为“国家级众创空间”。

继承个性化办学模式，推动新时代荆楚理工学院校园文化育人精细化发展的个性教学模式。其一，继续完善坚持“个性化”人才培养理念。自 2014 年起，学校以深入推进应用型本科人才培养模式改革为转型发展的切入点，以全面提高人才培养质量、促进学生个性发展为价值导向，依托省属本科高校转型发展试点高校、荆楚卓越人才计划、一流专业“双万计划”等项目，经过 8 年探索与实践，全面修订人才培养方案，构建了应用型本科个性化人才培养的“1234”模式。所谓“1234”模式，即围绕培养具有良好的思想政治素质和人文素养、扎实的学科专业基础、较强的创新创业精神和实践能力的应用型高级专门人才这一目标，构筑学校教育、社会教育两大协同育人体系，打造通识教育课程、专业主干课程、个性发展课程三大课程平台，实现人才培养过程中通识教育与专业教育、全面发展与个性发展、应用性与学术性、信息技术与教育教学四个融合。其二，继续实施“多样性”课程改革。学校将思政教育、素质教育、创新创业教育贯穿人才培养全过程，培养德智体美劳全面发展的应用型人才。建构完善应用型本科个性化人才培养的课程体系，着力解决人才培养课程体系单一僵化、缺乏灵活性和自主性、人才培养“千人一面”等问题。分项、分类、分层建设体美劳等公共必修课程，建设通识教育核心课程、各类示范课程，实施课程思政。按照大类培养设置学科基础课程，提供专业学术、专业应用、复合交叉、创新创业四类课程，满足学生多元发展需求。坚持个性发展与规范管理相结合，以教风学风建设为抓手，促进学生自我实现。实施以选课制为核心的课程教学改革，让学生自主选课程、选课堂、选教师。推行主辅修、双学位制，鼓励学有余力的学生跨学科、跨专业选课。实施拔尖创新人才培养计划，实施多样化、个性化、开放式特色人才培养方案，为具有创新创业潜质和能力的学生搭建学习平台，培养具有高度社会责任感、法治意识、创新精神和实践能力的人才。多途径增加课程供给，推进实践教学内容和方法改革，大力加强开放实验、创新创业训练项目建设，设置课外科技文化创新学分，促进课内外“两个课堂”衔接互补，聘请校内外“双导师”指导学生实践。将实践能力培养和创新创业教育融入人才培养全过程，结合专业特点按需开展社会调查、现场实习等实践教学活动，增强实践教学环节的系统性、整体性和综合性，促进教育教学与生产实践、社会实践、科研训练相结合，突出对学生工程意识、创新精神、实践能力的培养。其三，继续完善和坚持构筑“双协同”育人平台。学校把努力打造具有地域、行业特色的协同育人和协同创新平台，作为人才培养模式改革的重要路径。创新体制机制，探索建设集成式协同创新平台。确立“围绕需求建学科、支撑专业兴学科”的指导思想，按照“需求引领、协同发展、突出重点、彰显优势”的方针，提升应用导向的科技创新能力和社会服务能力，着力促进学科建设与科研转型，实现由“传统学科型科研”向“应用支撑型科研”的深度转型。组建 15 个产业研究院，重点建设与区域经济产业结构密切相关的智能装备类、电子信息类、新能源新材料类、大健康类、现代服务类五大优势特色学科专业集群，增强人才培养、科学研究、社会服务、文化传承与地方经济社会发展的耦合度，学科专业建设已实现从“量大求全，分散分割”到“以质为主，集群发展”的转变。对接行业办专业，引行企入教，搭建新生态下的协同育人平台。面向市场育人才，敞开校门引入社会资源，把行业企业引进校园，政校行企合作共建专业集群。搭建学校与行业企业的对接平台，建设现代产业学院，推进校企混合体建设，加强管理机制、师资队伍、人才培养、社会服务及校企文化的融合。学校入选首批教育部中兴通讯 ICT(信息与通信技术)产教融合创新基地，企业全程参与人才培养标准制定、教学内容更新和教材编写，培养了一批紧贴行业发展需求的人才。对接湖北省荆门市通用航空产业发展，与荆门市政府合作共建“荆楚理工学院通航学院”，开设飞行器制造工程、智能制造工程、材料成型及控制工程等本科专业。

积极做好特色化的民族文化、红色文化、优秀传统文化、四史教育、社会主义核心价值观培育、中华民族精神培育、时代新人培育、主题教育活动等文化资源、教育资源及时有效精细化融入荆楚理工学院的校园文化育人之中，将荆门本土文化融入校园文化，不断提升精细化的内涵和品

质。荆门不仅拥有“游鱼迎浪、雏雉向林、水满浸岸”的自然生态，还创造了“沃野万里，士民殷富”的社会形态，也展现着“筚路蓝缕、追奇逐新、兼收并蓄、崇武卫疆、重诺贵和”的精神和品格。其中，关键是采取沉浸式的育人办法，将民族文化、红色文化、优秀传统文化、主题教育、四史教育、社会主义核心价值观的培育等，以有声有色、有棱有角、有图有文等沉浸式方式展现给学生，让学生能够真正亲身体验学习，不断提升学校校园文化育人的吸引力、感染力。

对荆门本土文化融入校园文化育人来说，可以对接培育学生文化自信自觉，以此不断提升荆楚理工学院校园文化育人的境界。荆门有“十大文化品牌”：屈家岭文化、郭店楚简、纪山楚墓群、漳河文化、绿林文化、荆襄古道、掇刀关公文化、象山文化、明显陵文化、长寿文化。其一，建设各种工作坊：最有效的“第二课堂”。比如建设“纪录片工作坊 ”“ 微电影工作坊”“ 品牌传播工作坊”“数据挖掘工作坊”在内的多个实验工坊，培养学生综合实践能力及全媒体创作能力。工作坊配备专业指导老师，针对学生开展分层次的实践实训。一年级新生以“见习”身份加入创作团队，担任高年级学生助理，熟悉运作流程。二年级学生以小型赛事和分包项目为托体，更深入地参与团队合作以完成高质量作品。三年级学生以国家级赛事以及各类高规格的省级比赛为目标，在团队中担任主要负责人和创作者。其二，建设专业社团，不断提升学生自组织的能动性与生长潜力。发动学生自组织普遍采取学生建设、学生管理、学生互助、以老带新的自主运作模式，是大学生最关注、最热爱也最愿意参与的“实践共同体”。为更好地激励学生在新闻传播实践创作上的能动性，鼓励学生自建专业社团并配套多样化的帮扶策略：建设初期帮助学生寻找资源并在具体实施过程中给予专业性指导，确保社团正常启动并顺利运转，在完成数个周期循环后，组织能够自我生长和发展壮大，因此中后期指导老师只在方向把控、边界管理、多样化资源引入等方面提供意见，充分尊重学生的自主管理权。其三，实行校园文化育人项目制的引入与选题培育。入口问题即是学生实践创作的“起点”问题，通过将荆楚优秀传统文化选题以“项目制”方式引入，能极大程度地促进学生创作的有序性、积极性和完整性，提高产出

作品的专业品质和精神格调。蕴含着区域特色和地域精神的荆楚文化扎根于特定文化语境之中，具有极强的文化接近性和代入感，让大学生可闻、可触、可感那些精美细致、巧夺天工的文化实体，激起学生兴趣，提高实践参与热情。其四，把握过程问题，积极做好校园文化育人各类项目创作过程中的保障性制度建设。要改变实践训练散点化、弱连接的状况，需要充整合教学资源，保障实践创作的持续性和可传承性。为了让优质选题能够进一步地在深度、广度上延展，应积极引进“螺旋课程”概念，开启一种“链化结构”的启发式学习模式，形成包括纪录类作品、影视短片、视听创意表达、口语表达等多条实践主课程链。其五，把握出口问题，推动校园文化育人的课赛结合、以赛带练与平台拓展。学校应以“课赛结合，以赛带练”的方式，帮助学生在较短时间内建立目标、方向和运作规范；创作团队通过连续多年参加各类大学生实践竞赛，熟悉比赛的时间周期和评判标准，总结出以重大比赛为时点，以春、秋两个赛季为时段的学科竞赛“时间轨”并搭建竞赛项目信息互动平台，帮助学生组建项目团队，达到更好的资源调配并形成以老带新的良好传统。同时，充分挖掘校内传播资源，通过观影沙龙、创作分享会、毕业作品联展等校内平台展出优秀作品，增强内部竞争活力，让学生近距离接触甚至参与优秀作品的产出过程。

将荆楚文化融入社会主义核心价值观培育，不断提升荆楚理工学院校园文化育人的价值引领培育作用。其一，荆楚文化积淀着中华民族最深沉的精神追求。文化学上，广义的文化是指人类所创造的一切物质文明与精神文明的总和。楚人创造了丰赡的物质文明和宝贵的精神文明。《楚文化概要》上篇以六章的篇幅展现了楚人的物质文明和精神文明创造，即“楚文化的六大支柱”：炉火纯青的青铜冶炼、绚丽精美的丝织刺绣、巧夺天工的木竹漆器、义理精深的老庄哲学、惊才绝艳的屈骚文学、恢诡谲怪的美术乐舞。楚人的青铜冶炼堪称炉火纯青。楚国独创了分段铸造法，发明了失蜡法，使用了钎焊法，表面金属工艺多姿多彩，青铜冶炼生产已规模化。作者以曾侯乙墓出土青铜编钟为例，自豪地写道：20 世纪 80 年代以来，我国每遇到特别重大的、特殊的喜庆时刻，似乎总离不开曾侯乙青铜

编钟的身影。在2008年北京举办的奥运会上，曾侯乙编钟的原声录音被用在标志音乐及颁奖音乐中，编钟的乐音(即所谓“金声”)再配上编磬的声音(即所谓“玉振”)，形成极具中国民族特色的“金声玉振”“金石和鸣”的宏大音乐效果。曾侯乙编钟虽然在地下沉睡了2 400多年，但它依然华丽精致，依然音质完美，能演奏复杂的古典和现代乐曲。的确，曾侯乙编钟作为一种象征，已经远远超越了作为国宝文物的一般意义。

楚人在精神文化方面成就卓著，主要表现在“六大支柱”中的后三个方面。以“惊才绝艳的屈骚文学”为例，兴起于楚国的屈骚，犹如一座宝藏丰富风景秀丽的大山，横看成岭侧成峰，展现出不凡的成就和独特的风姿。

上古时期，南国楚地是个神秘的世界，中国古代许多神话传说就流传整合在这里：遍尝百草的神农、衔木石填海的精卫、怒触不周山的共工、敢与天帝争神的刑天，以及因逐日道渴而死的夸父，诸如此类神的形象，神的精神，都是在这块土地上生长起来的。与此相伴生，南国楚地也是巫的世界，这里人神杂糅，巫风炽盛。江淮之间这块神秘而美丽的土地，养育了楚人富于想象、充满激情的文化精神，在约800年的历史中，他们以巫的传统造就了楚国艺术的辉煌成就，陶冶了中国艺术的南方模式。楚人在创造上述物质文明和精神文明的过程中表现出的精神追求，《楚文化概要》作者归纳为“五种精神”，即筚路蓝缕的艰苦创业精神、追新逐奇的开拓创新精神、兼收并蓄的开放融会精神、崇武卫疆的强军爱国精神和重诺贵和的诚信和谐精神。这“五种精神”无一不是积淀着中华民族最深沉的精神追求。楚文化筚路蓝缕的艰苦创业精神即彰显出楚人国家富强之梦。正如作者所言：“楚人之所以能变弱小为强大、变落后为先进，创造出博大精深、诡谲多变、风格独具的楚文化，原因固然很多，但楚人于苦厄中凝聚而成的筚路蓝缕、矢志不渝、百折不挠的艰苦创业精神，无疑是其中最重要的因素之一。”荆楚文化拥有中华民族独特的精神标识。说起中国传统文化，人们很容易就想到儒释道。儒家学说是中国传统文化的主导思想是众所周知的历史事实，佛教文化虽是中国传统文化的一部分但却是外来文化，而所谓儒释道三家中的“道”，完整地说，应当包括“道家”和“道教”这两大部分，“道家”是一个学派，“道教”是中国土生土长的宗教。但不论是道家还是道教，与楚文化均有着紧密的关系。其三，荆楚文化能够为涵养社会主义核心价值观提供丰厚滋养。首先，荆楚文化是涵养社会主义核心价值观的深厚源泉。牢固的社会主义核心价值观，都有其固有的根本。炎帝神农文化是荆楚文明滥觞期的代表，而凤文化则是楚文化的一大特质，炎帝神农文化和凤文化是后世核心价值观的活水源头。楚人老子的“道论”，重视自然、宇宙及人类社会秩序的建构，老子是先秦诸子中最早关注道德重建问题的思想家，孔子是在老子的影响下致力于道德重建的。从屈原到闻一多的爱国诗篇，涵养了一代又一代中华儿女的爱国情怀与民族气节，为忠诚爱国提供了古今典范。从楚人季布的“一诺千金”到今天黄陂孙东林“信义兄弟”，重诺贵和的诚信和谐精神代代传承。在“中国梦，价值魂”的探索中，荆楚儿女谱写了一曲曲奋发图强的壮丽乐章，堪称是中华民族核心价值观形成过程中的“荆楚贡献”。2014 年 5 月 4 日，习近平总书记在北京大学师生座谈会上的讲话指出：“中华文明绵延数千年，有其独特的价值体系。中华优秀传统文化已经成为中华民族的基因，植根在中国人内心，影响着中国人的思想方式和行为方式。今天，我们提倡和弘扬社会主义核心价值观，必须从中汲取丰富营养，否则就不会有生命力和影响力。”不难看出，社会主义核心价值观可以从博大精深的荆楚文化中汲取丰富营养。实现荆楚文化的创造性转化和创新性发展，要结合时代要求，对传统文化的思想精华和道德精髓加以创造性转化、创新性发展，才能既永葆传统文化的生机活力，又不断增强社会主义核心价值观的凝聚力、影响力、感召力。培育和弘扬社会主义核心价值观要坚持古为今用、推陈出新，对传统文化有鉴别地加以对待，有扬弃地予以继承。《楚文化概要》下篇所论楚文化“五种精神”，均可创造性转化并与社会主义核心价值观对接。例如，仅从个人层面的核心价值观来说，楚人“爱国、敬业、诚信、友善”可以说闻名于古今，彪炳于史册，见之于该书“崇武卫疆的强军爱国精神”和“重诺贵和的诚信和谐精神”两章的论述。单说楚人的爱国传统，屈原是流芳千古的爱国诗人，战国末期楚国最终为秦国所灭，楚人仍顽强地发出“楚虽三户，亡秦必楚” 的悲壮誓言。近代，辛亥革命爆发前的 1910 年，湖北一个叫冯特明的留日学生在《汉声》刊物(由《湖北学生

界》第六期易名）上发表了一篇文章，第一句是“推翻中国第一个封建王朝的是楚人”，第二句是“我坚信推翻中国最后一个封建王朝的也必将是楚人”。陈胜吴广起义，辛亥武昌首义，应当是楚人忠诺于国的最佳表现。荆楚文化还有着丰厚的孝廉文化资源可供借鉴。廉政建设是个内外兼修的复杂工程，“孝廉”之道则是可供参酌的一种元素。炎帝神农“勤廉仁简”；楚庄王、孙叔敖“廉政恤民”；道家道教“道廉修身”；孝感天地的孝廉本根文化；等等。24 字社会主义核心价值观，已被视作是全国各族人民共同认同的价值观“最大公约数”，也是社会各界广泛认同、普遍接受、一致认可、共同追求的主流价值观。习近平总书记把培育和弘扬社会主义核心价值观表述为“凝魂聚气、强基固本的基础工程”，强调要把它作为推进中国特色社会主义伟大事业、实现中华民族伟大复兴中国梦的战略任务抓紧抓好。2014 年 6 月 20 日，湖北省《关于培育和践行社会主义核心价值观的实施方案》出台。要求全省各级各部门要充分认识培育和践行社会主义核心价值观的重要性，按照中央部署，结合我省实际，全面组织推进，在全省主要开展八项重点活动，在落细、落小、落实上下功夫。一是体现在社会主义核心价值观的“培育”上。开展八项重点活动可以视作主要是“培育”上的行动，当前应注重在基层工作创新上下功夫，只有走进生活、贴近百姓，才能把握基层群众对培育和践行社会主义核心价值观的新倾向、新需求；要注意把社会主义核心价值观日常化、具体化、形象化、生活化，使每个人都能感知它、领悟它，内化为精神追求，外化为实际行动；推动社会主义核心价值观“进教材、进课堂、进头脑”，我省可以考虑率先编写社会主义核心价值观系列读本，将荆楚文化中的名人及其感人事迹写进教材，让湖北民众作读本的主角人物，通过挖掘和讲述他们身边的真善美故事，让社会上的正能量全面生动地展现在读者面前，使社会主义核心价值观能够更加直观和易于理解。二是体现在社会主义核心价值观的“践行”上。孔子说：“君子之德风，小人之德草。”荀子说：“上者，下之仪也。”当代民谚云：“村看村，户看户，社员看的是干部。”因此，党员干部特别是各级领导干部、公众人物、先进模范的身体力行、示范引领作用尤为重要，这些重点人群践行社会主义核心价值观的实际行动，可以感召周围群众，引领社会风尚。

总之，在高质量发展已经成为各行业主题的背景下，新时代高校校园文化育人应积极把握教育高质量发展、学生高质量发展的要求，积极走内涵式发展道路。在这种情势下，走教育专业化、精细化的道路必然就成为新时代高校校园文化育人工作的坚定选择，尤其是在人工智能赋能的前提下，可以更好推动校园文化育人专业化、精细化发展，以此助力教育强国、人才强国和文化强国。

第七章　以教育治理方式的现代化推动高校校园文化育人的信息化与智能化发展

新时代，教育现代化的主要体现之一是教育信息化和智能化。如何提高高校校园文化育人的质量、育人的效果，一个关键的举措就是教育平台和方式的现代化，以及信息化和智能化发展。本章专门就高校校园文化育人的信息化、智能化发展进行研究，并提出相关的建议和对策。同时，还会研究线下方式和平台如何改革创新。因此，这一部分的研究主要侧重从建构新时代高校校园文化育人的平台与选择采用的教育方式形式等方面开展研究，期望能够从开展文化育人的角度服务当下校园文化育人的现实运行与发展。

第一节　教育治理方式和平台现代化的基本理论研究

教育强国，其实就是教育现代化发展的提出和实施。教育现代化的体现在很多方面，比如教师队伍的现代化、学生的现代化、教育内容的现代化、教育理念的现代化、教育方式和平台的现代化、教育保障和督导的现代化。在教育基础上发展起来的教育管理，也有一个现代化的过程。因此，研究阐释清楚教育治理与管理方、平台的现代化问题，首先需要研究阐释教育的现代化问题。因此，这一部分将在教育现代化的基础上，研究阐释教育管理治理的现代化及其相关问题，以此为后面研究新时代高校校园文化育人的现代化问题做好理论上的准备。

一、教育现代化的基本理论

从概念上讲，教育现代化可以作为一个动词来解读，也可以作一个名词来解读。从动词角度阐释，教育现代化就是教育从一种传统的教育模式、教育形态和教育样态发展到现代化的教育模式、教育形态和教育样态。教育现代化是一个国家经济社会现代化发展的必然产物和必然要求，按照马克思的学说解读，教育现代化是经济现代化催生的文化上层建筑现代化的体现，从实质上看，教育现代化是经济现代化的体现和要求。从名词角度阐释，教育现代化是指向教育体系中的各个方面的现代化，是一种现代化的状态和结果，或是一种现代化的产物，比如现代化的教育理念、现代化的教育内容、现代化的教育主体、现代化的教育方式、现代化的教育平台、现代化的教育保障体系、现代化的教育督导体系等。

教育现代化具有多重的重大意义。从我们党和国家对教育发展的重视方面可以体悟到，对国家来说，教育现代化是一个国家现代化的重要标志，也是一个国家现代化的重要推动力量，从知识、人才、科技和思想等各个层面推动一个国家现代化事业的发展。对学校来说，教育现代化是高校的重大教育责任和光荣使命，也是高校现代化和办学实力提升的主要体现和主要推动力，也是推动高校跨越式发展的重大力量。对学生来说，教育现代化是推动学生现代化成长的强大力量，是推动学生专业知识和技能现代化的强大力量，为新时代大学生德智体美劳各方面教育的现代化提供内容和方法上的可能，也提供了保障和督导上的可能。教育现代化不仅具有重大的现实意义，还具有重大的历史意义，必将推动中华民族的教育在人类现代化历史上写下浓重的一笔。教育现代化还具有重大的国际意义，中国式教育现代化可以为世界上其他国家在选择推动国家现代化的道路上提供中国方案、中国智慧。

教育现代化事业具有很多特征。首先是教育的各个层面的要素从传统的手工模式发展到现在机器、计算机、网络状态的教育发展样态。其次，教育现代化还意味着教育的大众化发展，这种大众化不仅是高等教育的大众化，也包括使教育链条上的各个学段的教育向全社会开放成为现实、成为可能，这也是教育民主化的体现之一。再次，教育现代化意味着教育内

容和方法特色化、个性化发展，促使教育满足每一个受教育个体的需求和诉求，为培养有特长的人才做出应有贡献。教育现代化也意味着教育信息化、网络化、智能化发展，这是教育现代化在教育方式和教育平台上最核心的表现之一，让教育事业告别单一的手工时代，进入到一个信息化、智能化和网络化的现代化时代。教育现代化具有国际化的特征，这主要是从教育生存和发展空间及服务空间来看，教育现代化是一项波及全人类的全球化、世界化现象，是世界全球化发展、交流的体现，正在促进人类交往向全球化发展。

从结构和要素上看，教育现代化体系的结构复杂，要素多样。教育现代化包括教育的理念现代化、教育的内容现代化、教育的主体现代化、教育的平台和方式现代化、教育的保障体系现代化、教育的督导体系现代化等方面的现代化要素。从教育涉及的学段来解读，教育现代化主要应该包括学前教育现代化、小学教育现代化、中学教育现代化、高等教育现代化等各个学段的教育现代化事业发展。从教育的场域来看，教育现代化体系，主要包括家庭教育现代化、社会教育现代化、学校教育现代化等要素。所有这些现代化要素，其中最核心的是教育者和受教育者的现代化，没有教育者和受教育者的现代化发展，其余就无法真正成为现实。

二、教育管理与治理现代化的基本理论以及相关问题的阐释

这一部分，主要是探索推进教育治理体系和治理能力现代化的问题，主要体现在我们推进教育治理现代化发展的历史行进之中和总体部署之中。

1. 教育管理与教育治理现代化的基本内涵、要素和功能

教育管理的现代化是当代中国国家管理现代化的主要标志和必然要求。从内涵上讲，教育管理与治理的现代化就是让教育的管理与治理从传统的管理模式走向现代化的管理模式，是教育管理和治理历史上的一场革命性变化，是教育现代化在管理与治理上的体现。

从要素来看，教育管理与教育治理现代化主要包括教育管理与治理的理念现代化、主体现代化、内容现代化、平台和方式的现代化、保障体系的现代化、督导体系的现代化、各种制度和体制的现代化等。从不同的学

段管理来看，教育管理与治理现代化主要包括学前教育的管理与治理的现代化、小学教育的管理与治理的现代化、中学教育的管理与治理的现代化、大学教育的管理与治理的现代化等。从教育的场域来看，教育管理与治理的现代化可以概括为家庭教育管理与治理的现代化、学校教育管理与治理的现代化、社会教育的管理与治理的现代化等要素。

从功能上讲，教育管理与治理的现代化具有多种功能。对学校来说，教育管理与治理的现代化必将推动学校各项工作的现代化发展和高质量发展。对国家来说，教育管理与治理的现代化是当代中国国家治理与管理现代化的重要体现、主要标志。对学生来说，教育管理与治理的现代化发展为学生成长发展提供一个现代化的教育环境，学习现代化的管理文化，能提升管理素养。

教育管理与治理现代化的基本理论问题，主要涉及三个维度的基本问题。一是什么是教育管理与治理现代化，以上已经对此作了一些阐释。二是为什么要大力推动教育管理与教育治理现代化，这个问题涉及教育管理与治理的内在逻辑及诸多的依据问题。三是怎么推进教育管理和治理现代化，这是一个方法论层面的基本问题。这些问题，学术界、理论界和实务界都有很多探索和谈论。其中的方法论探讨更是成为其中的焦点。可以这样讲，我国的教育改革，最核心的内容就是推动教育管理与治理的现代化建设。关于这个问题，我们主要进行了以下方面的探讨：适应国家治理体系和治理能力建设，根据教育发展的自身规律和教育现代化的基本要求，以构建政府、学校、社会新型关系为核心，以推进管、办、评分离为基本要求，以转变政府职能为突破口，建立系统完备、科学规范、运行有效的制度体系，形成政府宏观管理、学校自主办学、社会广泛参与的格局，更好地调动中央和地方两个积极性，更好地激发每个学校的活力，更好地发挥全社会的作用。政府宏观管理，就是要转变职能、简政放权、创新方式，把该放的放掉，把该管的管好，做到不缺位、不越位、不错位。学校自主办学，就是要落实学校办学主体地位，明确权利责任，自我管理、自我约束、自我发展。社会广泛参与，就是教育质量要接受社会评价、教育成果要接受社会检验、教育决策要接受社会监督，最大限度吸引社会资源进入教育领域。政府、学校、社会，管、办、评三者之间，权责边界既是

清晰的，又是相对的，既相互制约又相互支持，由此形成现代教育治理体系，不断提升现代教育治理能力。

2. 历史学视角看当代中国教育管理与治理现代化发展

教育管理与治理的现代化发展是一个历史过程，是一个循序渐进的过程。这个历史过程，可以从党和国家关于教育管理的相关政策的演进加以解读，也可以从各类教育的管理与治理上发生的实际变化加以历史视角的解读。

从新中国成立到现在，党和国家不同时期出台很多的教育法规、教育政策，这些教育法规和教育政策主要包括学校教师管理、学生管理、教学管理等方面的内容。

第二节　教育信息化与高校校园文化育人信息化发展

教育信息化是整个国家、社会信息化的重要部分和主要标志之一。高校校园文化育人的信息化发展是新时代教育强国、教育现代化、教育信息化的一个发展缩影。要研究阐释新时代高校校园文化育人信息化的现代形态建构，有必要对信息化和教育信息化开展相关的研究阐释。

一、信息化相关理论的研究与阐释

从内涵上讲，信息化可以从动词和名词的角度来阐释。从动词角度来解读，信息化是一个动态过程，就是把对象通过现代技术形成一个庞大数据库以供给人们使用的过程。从名词角度来解读，信息化是现代社会发展的一种现代形态，一种主要标志，是与工业文明不同的一种文明新形态——信息文明。按照我国相关文件阐释，信息化是指培育、发展以智能化工具为代表的新的生产力并使之造福于社会的历史过程。国家信息化就是在国家统一规划和组织下，在农业、工业、科学技术、国防及社会生活各个方面应用现代信息技术，深入开发广泛利用信息资源，加速实现国家现代化进程，这个概念对信息化的运用领域和主要表现形态等都有阐释。

从发展的背景和历史看，信息化发展是从西方世界开始然后传播到全世界其他地方。信息化最早是由日本学者提出的，一般用信息化时代、信息化社会或者信息化等话语表达。当代中国信息化时代的开启应该是在20世纪的90年代，我国正式加入全球网络，随着计算机、网络和其他信息处理技术的发展，信息化在我国飞速发展起来，到现在，我国已经成为世界信息强国，一个主要的标志就是我国的4G、5G技术的飞速发展，这促使信息化普及到每一个乡村、每一个社区、每一个家庭，改变了社会，一种信息化生存状态已经成为事实。

信息化的内容丰富多彩。从所涉及的领域和层次来看，信息化系统应该包括各类产品的信息化发展、企业组织本身的信息化发展、企业所在的各个行业的信息化情况、国家整个经济的信息化发展情况、人们的日常生活的信息化发展情况及每一个人的工作、学习、交往、娱乐等方面的信息化发展情况。从生产力角度来看，信息化生产力系统，与一般的生产力系统不一样，这是高度现代化的生产力发展形态，主要包括的要素和构件，一是要有基本的信息网络的基础设施体系，包括基本的网络技术、网络平台、信息处理技术等要件。二是基本的信息化产业基础设施，包括信息科技学技术的研究开发利用、信息设备的制造、信息咨询服务体系和设施设备等要件。三是基本的信息社会运行环境，比如信息化需要的实体产业基础、现代化的管理体制和机制、相关的信息化建设与运用的法律法规。相关的信息化教育和培训、相关的信息化运用的伦理要求等。四是信息化的效果体现，比如体现在人的工作信息化素质和能力、国家的信息化水平、人民生活质量的提升、整个社会文明程度的提升等。

信息化内容的构成也暗示了国家层面应该如何推进信息化建设并以此助力中国式现代化，表明了一个行业的信息化建设或者一个组织的信息化建设有很多的条件。因此，要解决信息化建设的问题，一个人的信息化素养和能力是根本，因为信息化涉及所有问题的解决、所有环节的运转都离不开一个行业和组织的使用人员本身的信息化能力和素养程度。同时，信息化运转的基本客观条件和设备的供给，这是硬件建设的问题，也是信息化建设发展的一个非常重要的条件。此外，就是信息化软件和平台等建设的问题，这些平台包括知识管理类型的平台、日常办公类型的平台、信息

集成类型的平台、信息发布类型的平台、协同工作类型的平台、公文流转类型的平台、企业通信类型的平台等分支，这些平台之间的协作，推动信息化平台继续发展。具体说来，就是一个单位内外联系的各种信息化平台，一种网络平台，与实体平台相辅相成的信息平台。

从信息化的功能与作用上看，信息化具有诸多重大的功能与作用。从作用对象来看，对国家来说，能推动一个国家管理与治理信息化发展水平，提升一个国家管理和治理的现代化水平；对一个组织来说，能推动一个组织的现代化发展和信息化发展，提升一个组织的社会贡献度；对一个社区来说，能推动社会治理与管理的信息化和现代化，提升社区的管理质量和效能；对一个人来说，能方便一个人的生活、学习和工作、日常交往，提升一个人的信息文明素养和现代素养。从作用的细化来说，信息化建设与发展对整个国家、社会和个人的发展有支柱作用与改造作用两个方面，对一个行业、一个组织的发展具有先导作用、软化作用、替代作用、增值作用与优化作用等五个方面的功能与作用。

信息化具有诸多的特性，首先是易用性，易用性对软件推广来说最为重要，是能否帮助客户成功应用的首要因素，故在产品的开发设计上应为重点考虑。其次是健壮性，健壮性表现为软件能支撑大的用户数，支持大的数据量，使用多年以后速度、性能不会受到影响。再次，平台化、灵活性、拓展性，通过自定义平台，可以实现在不修改一行源代码的前提下，通过应用人员就可以搭建功能模块，即小型业务系统，从而实现系统的自我成长。同时通过门户自定义、知识平台自定义、工作流程自定义、数据库自定义、模块自定义，及大量的设置和开关，让各级系统维护人员对系统的控制力大大加强。此外，还有安全性，系统能够支持 WINDOWS、LINUX 等各种操作系统，对安全性要求高的用户通常将系统部署在 LINUX 平台，同时，流程、公文、普通文件等在传输和存储上都是绝对加密的，系统本身有严格的思维管理权限、IP 地址登录范围限制、关键操作的日志记录、电子签章和流程的绑定等多种方式来保证系统的安全性。协同办公系统只是起点，后续必然会逐步增加更多的系统建设，如何将各个孤立的系统协同起来，以综合性的管理平台将数据统一展示给用户，选择具有拓展性的协同办公系统就成为向后一体信息化建设的关键。技术上，产品底层设计选择了整合性强的技术架构，系统内预留了大量接口，为整合其他系统提供了技术保障经验上，成功实施了大量系统整合案例，丰富的系统整合经验确保系统整合达到客户预期的效果。最后是移动性，信息化平台嵌入手机，使用户通过手机也可以方便使用信息化服务。

二、教育信息化的基本理论

1. 教育信息化相关理论的阐释与研究

简单讲，教育信息化是信息化在教育领域发展的体现，是信息技术赋能教育领域发展的体现，是教育现代化的信息化形态体现。其内涵丰富多彩，主要体现现代信息技术在教育领域中的教学、教研、科研、社会服务、文化传播、学生学习等方面的运用和开发，也体现为培养信息化的人才。

教育信息化可以进行各种各样的分类。从教育层次来分，教育信息化主要分为学前教育信息化、小学教育信息化、中学教育信息化、大学教育信息化等。从教育环节来划分，教育信息化可以分为教学信息化、学生学习信息化、教研信息化、科研信息化、文化传播信息化、社会服务信息化等。从教育内容来分，教育信息化可以分为专业知识教育信息化、德育信息化、体育信息化、美育信息化、劳动信息化等五大类别。其中的核心内容是教学的信息化和教学管理的信息化。

教育信息化的开展需要很多的条件。一是信息技术的开发利用。二是学校基本信息化的基础设施。三是信息化运行的专业人才和管理人才。四是教师和学生基本的信息化素养和能力。五是学校基本的信息化管理相应的制度体系。这些条件，其实也是加速教育信息化建设的相关路径和具体对策。

教育信息化、教育网络化、教育智能化有区别，也有联系。教育信息化的重点是现代信息技术在教育领域中的开发和使用。教育网络化，重点是网络技术在教育领域中的开发利用。教育智能化，重点是人工智能技术在教育领域的开发利用和发展。

2. 教学信息化的巨大作用和优势

教育信息化的作用是巨大的，与传统教育模式相比，具有很多的优势，但是教育信息化也不是万能的。这是在开发利用教育信息化技术中必

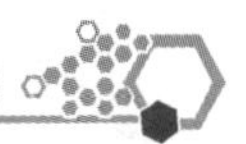

须要注意的，我们不能迷信教育信息化，就像我们不能迷信教育网络化、教育智能化一样。

教育信息化是在教育网络化基础上发展起来，其强大的作用主要就是对信息的处理、加工、传递和利用等方面的作用。对学校来说，能提升学校办学质量和水平，能提升学校在信息化时代的竞争力。对教师来说，提升教师的信息化素养和能力，促进教师专业与职业能力的现代化进入一个更好更高的阶段。对学生来说，能提升学生信息化素养和能力，提升学生的学习能力及适应社会的生存和发展能力。

从优势上看，教育信息化的优势主要体现在以下几个方面：一是信息收集和加工的强大优势，这是其他优势发挥的基础。教育信息化利用各种现代信息化技术，对要使用、传递的信息资料进行加工，其加工的速度和质量远超手工处理的速度和质量。二是强大的信息传递技术。教育信息化利用强大发达的传递技术，能够很快将信息进行各种对接传递，这可以节约很多时间、人力、物力成本。三是拥有强大的信息质量优势，教育信息技术发达，可以将最好的教育资源收入囊中，这样就能保证教育资源的优化。四是拥有强大的信息成本优势，利用发达的信息技术，可以在短时间内接受到先进的教育资源，还可以节约资金和人力成本。五是拥有强大的信息交流优势，发达的信息化技术和网络技术能开辟很多可以进行信息传递的信息高速公路，可以进一步比喻为信息高铁时代，信息交流，为文化、教育等交流带来方便，各类人员可以进行各种各样的信息交流，教师与教师之间，学生与老师之间，学校与学校之间等，都可以充分利用教育信息化技术，展开交流、学习、研讨。

3. 教育信息化的本质、目的和要素

从本质上看，教育信息化就是教育方面的知识、资源得到更好地共享、共用并共同进步。从学校角度看，一所学校教育的信息化，就是利用现代信息技术和教育理论，把学校的各项工作纳入信息化发展轨道，让学校成为一个方便获取教育资源、教育信息的阵地。

从目的上看，推进教育信息化有几个层面的作用。首先，对信息技术本身来说，开展推动教育信息化，能极大拓展现代信息技术在所有的教育部门推广进度，助力信息技术的发展。其次，对教育的改革与创新发展来说，教育信息化的开展，能够极大助力教育部门的教学、管理的信息化发展和改革创新。再次，对人才培养和社会来说，现代信息技术在教育领域中的运用，能极大助力信息化人才的培养，更好为信息时代培养人才。最后，对整个教育来说，现代信息技术的引入和开发利用，能够极大助力教学、管理、教师、学生及各类基础设施等方面的现代化发展，建构教育现代化的现代信息化形态。

教育信息化是一个综合系统，需要相应的构成要件来推动。一是各种网络渠道。目前我国已经建好和正在使用的有中国教育与科研网、中国卫星宽带远程教育网络，正在实施的有中小学“校校通”工程、高校“数字校园”建设工程、中小学远程教育建设工程等，应用于学校教学的普通电教室、多媒体综合电教室、计算机室、微型电教室、CAI 教室、网络教室、语言实验室、电子阅览室、闭路电视系统等都是教育信息化中信息网络基础设施建设的重要内容。这是教育信息化的最基础最基本的条件。二是教育资源，主要指向各类课程的课件、教案、大纲、考纲相关参考教学资料等，还有各种各样的教学资源的信息库的开发利用，一般也是分类进行整理建构的，主要是由高校图书馆和教务处、网络中心具体负责，没有教育资源，教育信息化等于无米之炊，所以是整个教育信息化的核心和中心要件。三是教育信息化技术的应用，这方面就包括应用者的信息化素养和能力、教育能力和知识技能、教育学、现代信息技术的能力等方面的主观条件，教育部门关于信息化技术开发利用的相关制度、规定及相关的管理等也是其中的重要构件。四是发达的信息化产业。信息技术是指对信息的采集、加工、存储、交流、应用的手段和方法的体系。它的内容包括两个方面：手段，即各种信息媒体。如印刷媒体、电子媒体、计算机网络等，是一种物化形态的技术；方法，即运用信息媒体对各种信息进行采集、加工、存储、交流、应用的方法，是一种智能形态的技术。信息技术就是由信息媒体及其应用的方法两个要素所组成的。信息技术的核心是信息的数字化、信息传输的网络化。信息技术是教育信息化的技术支柱，是教育信息化的驱动力。在教育信息化过程中开展信息技术研究不仅可以丰富教育信息化的研究内容，更重要的是可以将新的更加有效的物态化技术和智能形态的技术应用于信息化教育中，提高信息化教育的质量和效果。信息技

术产业主要指信息技术设备制造业和信息技术服务业。由于信息技术设备制造业的发展需要强大的技术和资金优势作后盾，因此，在中国的教育信息化过程中，信息技术产业的发展应由不同的社会部门分工协作来完成。其中教育信息技术产品的制造业应动员教育系统、科研院所和相关企业等互补性较强的部门共同参与，以便将教育系统从教育信息技术产品的开发中解脱出来，集中精力做好以教育信息资源的开发和利用为主的服务业。此外，教育信息化发展的人力资源要推动信息化在教育领域的开发应用，必须要专业性的信息化人才来推动，这是一支关键的信息化推动的人才队伍。另外，还需要培养广大教师和学生的信息化素养和能力，在此基础上要培养通识型的信息化人才，这主要是在教学人员、管理人员中发展，要求能够掌握信息化技术的一般应用。

三、高校教育信息化的发展现状和校园文化育人信息化发展的基本理论

1. 新时代高校教育信息化的建设路径

教育信息化建设涉及三个基本的问题，一是什么是教育信息化，前面已经有研究。二是为什么要大力推动教育信息化，这是提升教育信息化应用的诸多逻辑依据。三是如何推进教育信息化在高校中的发展，这是研究和阐释教育信息化的核心、落脚点和出发点。也是研究好所有问题之后，最后要提出可能采用的方案，具有研究的现实意义和重大价值。

一是转变高校使用教育信息化的理念。《教育信息化 2.0 行动计划》明确提出，“以教育信息化支撑引领教育现代化，是新时代我国教育改革发展的战略选择，对于构建教育强国和人力资源强国具有重要意义”。高校应认识到教育信息化建设绝不仅是对传统教育的补充和完善，而是主动适应高等教育发展方向的根本保障和必要举措，是教育领域的根本性变革，它对于未来建设高水平大学和培养高质量人才，不仅“重要”，更是“必需”。这种“必需”要求高校教育信息化建设要始终坚持以人才培养为出发点和落脚点，其建设目标要围绕学校人才培养总体目标来设定，建设思路要根据学校人才培养整体思路来规划，建设内容要结合学校人才培养各项

需求来确定，所有建设工作都必须围绕实现人才培养目标、服务人才培养需求、提升人才培养质量来开展。只有以人才培养为中心来推进高校教育信息化建设工作，教育信息化建设的“必需”性才能得到进一步彰显和落实，其建设目标才能更加明确，建设思路才能更加清晰，建设标准才能更加规范，建设成效才能更加突显。

二是教育信息化重点的转变，从注重建设到开发运用。为使教育信息技术在教育实践中真正地发挥作用，高校教育信息化建设的重心亟须从“基础设施建设”更快地转向“实际教学应用”。在线教育反映的突出问题，要求高校从应用的角度出发，重新审视“建什么”“怎么建”的问题，重点关注“谁来用”“怎么用”的问题。前者需要高校重点聚焦新时代和信息社会对人才培养的新需要，敏锐把握社会发展尤其是科技创新发展的新趋势，着重思考这种新趋势对创新人才的新定义、新标准和新要求。在此基础上，进一步明确教育信息化建设的长期目标和阶段目标，做好建设任务的统筹规划和分步实施，探索构建以信息化为引领、以学习者为中心的全新教育生态。后者则需要高校从用户需求出发，以问题为导向，通过体制机制的不断完善与优化，切实做好用户的支持、服务和保障工作，如出台相关政策为教师线上教学工作量计算、教师线上教学效果评价、学生线上学习评价与考核等提供支持和保障工作，采取系列举措全面提升教师、学生和管理者的信息素养。

三是技术使用上的转变，应从注重应用转变到加大各种信息技术和其他技术的融合创新。随着信息技术对教育教学各环节的渗透，大批传统教育工作者“被迫”采用信息化手段开展教育教学，信息技术对于教育教学的影响和改变也越来越受到人们的关注和认同。这为教育信息化建设任务从“技术运用”转变为“融合创新”创造了条件。高校教育信息化建设的核心任务是找到技术与教育之间的平衡点和切入点，推进信息技术与教育教学的融合创新，将教育信息化作为教育系统性变革的内生变量，支撑引领教育现代化发展，推动教育理念更新、模式变革、体系重构。这种融合创新，是要打破教育与技术之间泾渭分明的分界线，打破将信息技术作为辅助和手段的固化思维，主动适应技术发展对人才培养需求的变化，强调信息技术应用的规范性和教育教学的规律性相统一，推动信息技术与教育教学全

方位、全过程、全环节的融合与创新。

四是在方式上，应加快教育信息化碎片化的使用状态发展为更加注重协同联动使用的格局。为提升高校教育信息化的整体功能，高校教育信息化要进一步强化校内校外协同建设。其一是做好校内统筹规划，明确责任单位，认真梳理校内各建设主体的角色定位、工作职能和具体分工，避免“信息孤岛”“数据烟筒”现象，实现整体推进。其二是广泛开展与政府、企业、其他高校和研究机构等校外主体的合作共建，发挥不同主体的比较优势。实际上，我国已经形成了“政府引导、学校主体、企业支持、社会参与”的教育信息化建设发展模式，今后高校应主动作为，抓住发展契机，加快建立校地、校企、校际共建、共享的常态化、长效性机制，进一步创新共建模式，拓宽合作领域，深化合作内涵，实现共建、共享、共赢。

2. 校园文化育人信息化的基本理论

校园文化育人信息化是教育信息化的重要部分，建构校园文化育人信息化理论可以借鉴教育信息化的基本理论体系进行。这个信息化理论体系，就包括校园文化育人的理念、主体、客体、平台、方式、保障和督导等方面，而不仅仅是学习内容、学习方式的信息化问题。因此，建构校园文化育人信息化理论体系，应该包括这些要素的理论建构。

校园文化育人信息化的结构，正如上面分析。一是校园文化育人理念的信息化。二是校园文化育人主体的信息化。三是校园文化育人的客体的信息化。四是校园文化育人的平台和方式的信息化。五是校园文化育人保障的信息化。六是校园文化育人的督导体系的信息化。这些要件的分析和阐释，为后面研究提出和阐释新时代高校校园文化育人信息化路径提供了一些参考和借鉴。

四、推进高校校园文化育人信息化建设与发展的原因

推动高校校园文化育人信息化建设与发展，是基于以下多个方面的因素。

一是整个国家信息化时代发展，要求校园文化育人信息化发展。推进新时代高校校园文化育人信息化发展，一个主要的原因就是整个国家、社会信息化发展的大趋势、大背景。在这样的背景下，不推进高校校园文化

育人信息化发展，会在信息化时代发展中落后，会渐渐失去自身在青年学生群体中的教育合法性基础。

二是青年学生的信息化素养的提升和信息化使用，需要高校校园文化育人信息化发展。推进新时代高校校园文化育人信息化发展，不仅和信息化时代发展有关，还与面对的学生群体的信息化素养和信息化要求相关。现在的学生群体身处信息化时代，是具备一定信息化素养的群体，同时也是需要加大信息化素养培养的群体。鉴于此，推动新时代高校校园文化育人信息化发展，必须要考量到文化育人对象本身的信息化情况。

三是教育发展的信息化，也需要校园文化育人信息化发展。推进高校校园文化育人信息化发展，一个主要的原因就是教育本身信息化发展的推动力。校园文化育人在信息化发展的高校中开展，必须要加大自身的信息化，否则跟不上高校信息化发展的大步伐，适应不了高校各项工作信息化发展的大环境。因此，推进新时代高校校园文化育人信息化发展，必须要与高校自身的信息化发展紧密相联系，把握其中的要求、原则、方向、方法和内容等方面的相关走势。

五、推进高校校园文化育人信息化建设与发展的对策

根据教育信息化、校园文化育人信息理论的要求，针对当下高校校园文化育人信息化建设存在的不足，高校应从以下几个方面做好文化育人信息化的建设与发展，以便推动文化育人信息化迈上一个新的台阶。

一是牢固树立文化育人信息化的理念，使之贯穿高校校园文化育人的各个环节、各个方面和各个领域。信息化的育人理念是推进新时代高校校园文化育人信息化发展的一个先决条件，必须要求所有参加校园文化育人工作的人员树立信息化的教育理念，让这种信息化理念融合到每一部门、每一个工作环节、每一个文化育人的符号中。

二是大力提升校园文化育人主体的信息化素养和信息化教育能力。教师队伍是决定高校校园文化育人信息化发展的主体性条件，其信息化素养、信息化教育能力可以说影响到新时代高校校园文化育人信息化运行和高质量发展。因此，高校应根据文化育人信息化发展的需要，根据教育强国、信息强国等方面的要求，充分利用各种途径和方式，大力提升文化育

人工作人员的现代信息化素养和信息化教育能力，以此夯实新时代高校校园文化育人信息化发展的信息化主体力量。

三是加大信息化教育平台的建设和开发利用，积极推动多种形式的文化育人信息化平台，形成校园文化育人多元化的信息化教育阵地。任何教育活动都需要以教育平台作为自己的教育阵地开展。校园文化育人信息化发展，需要开发信息化的教育平台。因此，推进新时代高校校园文化育人活动，应充分利用互联网络，建构各种信息化平台，根据文化育人的内容和群体需要，建构多样化的、富有特色的信息化平台。

三是加大文化育人内容的信息化处理，以便更好开展新时代高校校园文化育人活动。开展信息化育人，核心就是要有信息化的教育内容，也就是要对教育内容进行信息化处理。因此，高校应该对校园文化育人内容进行信息化处理，让所有内容都能上信息化平台，让这些文化服务青年学生群体。

四是建构文化育人信息化发展的督导机制，为新时代高校校园文化育人信息化发展提供强大的外在推动力。任何一项教育活动，都需要督导评价管理。校园文化育人信息化开展，同样需要督导评价推动。因此，高校应针对校园文化育人信息化建设与发展的需求，根据文化育人的要求，建构一套持久有效的多元化督导体系，长久发挥督导的力量。

第三节　教育智能化与高校校园文化育人智能化发展

在信息化基础上起来的智能技术，应用到教育领域，能极大推动教育的智能化发展，智慧课堂、智慧黑板等的使用已经从幼儿园推广到大学。在这样的背景下，新时代高校校园文化育人如何走好智能化发展道路已经是一个急需解决的重大课题和问题。

一、智能化与教育智能化发展的基本理论

1. 人工智能化相关理论的阐释与研究

关于人工智能的定义，目前比较流行的有这么几种说法。一是机器像

人一样思考。二是机器像人一样行动。三是机器理性地思考。四是机器理性地行动。简单说，将人的智能转换为机器来运转、使用，推动机器为人类提供体力和脑力服务，减少人类劳动的辛苦与繁琐。人工智能发展到现在，已经引发学术界、理论界和实务界的讨论，比如人工智能能否超越人类自身、人工智能对就业和职业的冲击、人工智能本身的产生和可能引发的一些伦理问题。

从人工智能学科的角度看，人工智能主要包括机器人、语言识别、图像识别、自然语言处理和专家系统方面的建设和开发利用。从人工智能运用的现实情况来看，人工智能已经广泛运用到企业管理、社区与小区管理、学校管理、学校教学与科研工作、工厂中的工作运行、行政机关中的行政服务中心等，给人类带来极大方便。从具体运用解决问题来看，人工智能主要应用领域体现为以下几个方面：一是问题求解。二是逻辑推理。三是自然语言处理。四是智能信息检索技术。五是专家系统。

人工智能是信息化社会发展的新形态，具有多种功能与作用。从国家层面来讲，推动国家治理、管理和各项建设的智能化发展，提升现代化水平和质量。从一个行业和组织来说，智能化发展将极大提升一个行业和组织的信息化水平、智能化水平和现代化水平，提升其竞争力，增大对国家和社会的贡献程度。从一个人来说，智能化技术发展将提升一个人的工作、学习、生活、日常交往等方面的现代化水平和质量，提升一个人的智能文明素养。

2. 教育智能化的基本理论

教育智能化发展是人工智能化发展的一个体现。人工智能技术的开发、利用和发展，极大提高了各行业的人工智能化水平，也极大推动了教育领域的人工智能化发展。

从内涵上讲，教育智能化是人工智能在教育领域中的运用与发展，是新形态的人工智能，主要指教育管理与治理的智能化发展、运用与教学工作的智能化发展等方面。

人工智能技术极大推动教育智能化发展，并产生重大作用。实际上，近十年来，移动互联网、虚拟现实、新一代人工智能等新技术正向教育的各个领域渗透，已经对传统的课堂教学结构、教学模式、教育评价产生了

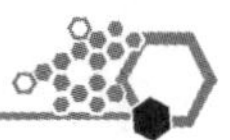

深远的影响，教育信息化从数字化到智能化的阶梯式发展趋势日益明显。以人工智能+教育的发展模式，极大推动教育及教育管理的智能化形态的发展，意味一种全新的教育现代化新形态的出现和发展。

人工智能在为教育赋能、重构教育生态、促进教育功能充分发挥等方面的作用逐渐突显。在智能化发展的过程中，教育将在教育服务体系、学习环境构建、教育管理、教育与学习方式的转型升级、教育参与主体的作用与定位等方面，呈现出以下发展态势。一是自适应学习环境的形成与构建，二是自主学习能力培养成为教学主要任务。三是学习共同体构建成为主要的教学方式。四是教学活动参与主体面临新变化。

教育智能化发展面临风险挑战主要有以下几个方面：一是人工智能对人类本质认识的冲击。二是教育中人的主体性存在的急剧变化。三是教育内涵的拓展和深化。对于这些方面的挑战，我们必须要积极应对，积极探索，积极努力寻找可能的解决方案。

解决人工智能给教育带来的影响，积极回应教育智能化的一些风险和挑战，我们可以从以下几个方面入手。一是坚持和谐发展的理念，坚持可持续发展的思想和服务人类的思想，将机器与人的相互关系置于一种和谐共生的形态发展。二是坚持继承与发展教育核心理念，始终把握教育服务人类、服务学生、服务社会、服务国家的价值取向，将教育智能化置于一种正确发展的航道上前行。三是坚持科技与人文有机结合的发展理念，力求科技力量和人文力量互动共赢，一起前行，推动教育现代化的新兴智能化发展，更好助力中国教育现代化。

二、打造智慧校园，积极推动高校校园文化育人智能化发展

借助人工智能，高校校园文化育人可以大力推进智能化发展，积极开展文化育人智能化运行。这符合现代科技发展，也符合自媒体时代学生的学习特征和教育的特征。虽然我们不能将人工智能当成是校园文化育人的万能工具，但可以使用它积极推动校园文化育人不断向前。

一是建设校园文化育人的智能化平台，为每一个学生随时学习提供一个自我管理、自我活动、自我学习的轻松自由平台。

二是从教育资源上，加大各个智能平台的文化育人内容建设，不断提

升校园文化育人智能平台的吸引力和感染力。这方面，除了开发文字的文化教育信息，还要开发图片、视频等多种形式的文化教育信息，包括对中华优秀传统文化、革命文化、现代文化、专业文化等的教育，将其纳入这些智能平台当中。

三是做好智能平台上学习的考核管理和激励，让校园文化育人智能平台学习模式长效化运行下去。这里就涉及一个管理的问题。管理不到位，很难做到让校园文化育人智能平台的长久运转。美国管理学家彼得德鲁克早就说过，管理是一个决定作用的因素。因此，在开发推动校园文化育人智能化发展时，必须要加强管理，利用智能平台进行自我管理，培养学生养成自觉学习、自觉管理自我的好习惯。

第四节　新时代高校校园文化育人线下教育阵地开展的改革创新

校园文化育人主要有两大阵地：一个是线上的教育活动，可以充分利用网络平台和其他相关技术，推动校园文化育人信息化、智能化发展，积极开展多种形式的文化育人活动，尤其是可以开展各类体验式的文化场景育人活动。另一个就是线下各种实体阵地的开发建设，这些阵地主要包括教室里面的课堂教学阵地、寝室里的自我教育阵地、食堂中的教育阵地、操场上的教育阵地、各类晚会和班会的教育阵地，以及校园内的所有建筑物、生态绿植和实体符号等，这些阵地都是校园文化育人实体平台体系的重要组成部分，都应为新时代高校校园文化育人活动贡献一份自己应尽的力量。

一、加强高校校园文化育人线下阵地开展改革创新的原因

新时代高校校园文化育人线下教育阵地开展改革创新，主要基于以下三个方面的原因考量。

一是这些阵地本身的育人功能的发挥，需要进行教育方式和内容的改革创新。教育阵地的育人功能要发挥，必须对教育阵地上教育的内容和采

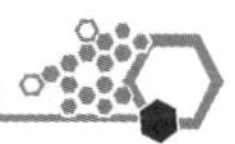

用的教育方法进行适时调整和改革创新，因为育人功能的发挥是以教育方法和教育内容进行发力的。没有教育内容和方式的调整，很难跟上时代步伐和学生的要求，很难发挥好各类校园文化育人的实体阵地的教育功能和文化功能。

二是新时代大学生的成长发展和对美好生活的期盼，也需要对线下各大教育阵地的教育功能进行调适、改革和创新。为何要发挥文化育人实体阵地的育人功能？一个根本原因就是要找准自己的出发点和落脚点。一方面，校园文化育人的对象就是大学生群体。进入新时代，所有群体对生活的向往都进入了一个更高的层次，大学生群体也一样，对美好生活的向往更多更高，这需要文化育人阵地做出教育内容和教育方法的调整，瞄准大学生对美好生活的期盼，进行正确引导和教育、促进。另一方面，从人的全面发展视角来看，大学生群体的发展体系，主要包括生理发展、心理发展、精神发展、专业与事业的发展等分支，文化育人阵地应立足学生这些方面的发展需求，立足促进学生发展的这个基本点开展改革创新。

三是教育强国战略的奋力推进，要求加大校园文化人的线下所有的平台加大教育改革力度。作为高校教育重要板块的校园文化育人，其实体阵地必须要紧跟教育强国步伐，大力推动改革创新；围绕党和国家对青年大学生教育发展的要求，做出及时调整，比如民族精神的培育、党史文化的培育、革命文化的培育、中华优秀传统文化的培育等，需要及时注入到每一个实体教育阵地，让这些阵地发挥育人的正能量。

二、加强高校校园文化育人线下开展改革创新的对策

一是做好与线上平台对接，积极建构线上平台的线下实体建设。线下各个实体平台，不能仅立足线下育人活动，必须要积极开发线上平台，这是一个基本的育人功能发挥战略的实施路径。课堂教学阵地、寝室文化育人阵地、食堂文化育人阵地、晚会育人阵地、社团文化育人阵地等，都应该积极利用互联网络，开发自己的网络平台，形成线上线下的文化育人互动。

二是对准青年学生成长发展的需要和对美好生活的期待，积极调整各个文化育人实体阵地的教育内容和方法。高校所有文化育人阵地发挥的教

育作用，不能无的放矢，必须要做到有的放矢，认真跟踪调查学生的成长发展的实际情况和未来走向，认真研究新时代美好生活期待下大学生对美好生活期待的具体走向和要求，在这两个基本调查基础上，开发充实更新教育内容，改革创新教育方法。

三是提高大中小幼一体化校园文化育人的战略地位和品质。紧跟党和国家的文化强国、教育强国、人才强国的要求，积极开发文化育人实体阵地的服务社会培养人才作用。发挥好文化育人阵地的教育功能，不仅要对准青年学生群体的需要和期待，还需要紧跟国家、时代的发展，尤其是要把握整个民族、社会对人才培养的要求，拓展大中小幼一体化的校园文化育人阵地，并对进行改革创新，主要是对其教育内容的改革创新，提高大中小幼一体化校园文化育人的战略地位和品质。

总之，置身信息化时代，新时代高校校园文化育人必须积极推进信息化发展，让信息化来推动文化育人这项工作的现代化发展。当下要紧的是，高校应积极从理论到实践好好探索校园文化育人信息化的问题，努力从理论上建设，从实践上加紧，以此推动校园文化育人信息化走得更远、飞得更高。

第八章　以教育法治化推进高校校园文化育人法治化运行

推进高校校园文化育人依法运行、依规运行，这样才能做到常态化长效化发展。其中的关键就是要坚持依法治校，推动校园文化育人走上法治化的道路。这一部分，就高校校园文化育人法治化问题进行研究探讨，主要在研究教育法治化理论与阐释梳理新中国法治化历史、教育法治化的历史的基础上，调研当下高校校园文化育人法治化运行中存在的问题及其原因，并提出相应的对策。

第一节　教育法治化的基本理论与新中国法治发展历史

此部分从历史逻辑角度研究，并从我国法治化的历史发展演进过程和法治化的理论内容方面，为研究新时代高校校园文化育人法治化发展做一个基本理论铺垫。

一、法治化与教育法治化的基本理论

法治化理论，是一种德治的理论。其基本的内涵就是依法治理，将所有工作、所有事项纳入法治化的轨道。这种理论的运用和践行，是一个国家政治文明、社会文明的体现和重要保障。

从构成环节上讲，法治化理论至少应该研究阐释立法、执法、司法和守法等要素方面的问题。所以，法治化理论体系主要由立法体系、执法体系、司法体系、守法体系等构成。

从发展历史来看，法治化理论的形成，与一个国家的法治化进程是一脉相承、同步前行的，一般情况下，法治化理论形成要先于法治化实践，但最终要受到法治化实践的检验和完善。

教育法治化理论是法治化理论体系的一个领域的内容，主要涉及教育领域的立法问题、执法问题、司法问题和守法问题，属于一种专项领域中的法治化理论。

二、新中国法治化建设的历程

1. 法治化的世界历史

法治作为一个国家现代化发展、建设现代文明的主要标志，已经成为全人类和每一个国家高度重视的管理方式和模式。在每一个国家，都有一个发展的历史过程。法治最早源自古罗马，真正的现代法治是近代社会开始采用的，从英国资产革命后开始，人类开始走向依法管理国家的航程，从西欧传到北美，在世界化、全球化发展的推动下，法治文明逐渐在世界各个地方推动起来。这是法治化的世界历史发展进程。

2. 法治化的中国历史

现代法治在中国的发展，经历晚清、民国和新中国三个大的时间段。晚清开启中国近代法治化的历史，这是近代中国屈辱不断下开启的法治化历史，从法治思想到法治实践，经历了一些探索。民国时期是中国法治的现代时期，这一时期更多学习英国美国的法治化模式，在法治理论、思想和具体的法治实践，也进行了很多探索。真正的现代法治，是在新中国成立以后，在党领导下逐步探索，从学习苏联的法治模式，到学习东亚国家的法治模式，再到学习西方的法治模式，最后到逐步探索中国特色社会主义法治模式。

3. 法治化的当代中国历史

一是 1949 至 1978 年，开启了中国的法治现代化的新局面。

新中国成立之后，废除国民党旧法统、创设全新的国家制度与人民的新法律，成为新生人民民主政权的迫切要求。党中央首先发出“二月指示”，明确指出司法工作不能再以国民党六法全书为依据，而应该以人民的新的法律为依据。《中国人民政治协商会议共同纲领》规定：“废除国民

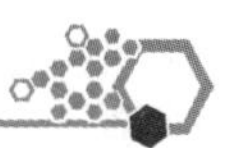

党反动政府一切压迫人民的法律、法令和司法制度，制定保护人民的法律、法令，建立人民司法制度。”从1949年新中国成立到1956年社会主义改造基本完成，我国经历了从新民主主义国家向社会主义国家转变的过程。这既是伟大而深刻的社会变革时期，也是中国特色社会主义法治道路的奠基时期。

这一时期的法治体现，主要体现为颁布的宪法和一些基本法律规范。1954年中华人民共和国的第一部宪法，初步建构了中国特色的现代国家制度，为中国特色社会主义基本政治、经济、社会制度的全面确立提供了根本大法保障。宪法颁布之后，毛泽东同志指出其重大意义就在于“用宪法这样一个根本大法的形式，把人民民主和社会主义原则固定下来”。新中国成立初期，国家立法工作开展活跃、成效显著，颁布了中央人民政府组织法、选举法、土地改革法、婚姻法、人民法院组织法、人民检察院组织法、惩治反革命条例等一大批法律文件。这对于建立一种全新的社会主义法律制度与社会秩序有着积极的开拓意义。

二是1978至1997年，是法治中国的社会主义法制建设时期。

从1978年开始，作为改革开放的重要内容，中国开始了社会主义法制建设的历史进程。党的十一届三中全会强调，“为了保障人民民主，必须加强社会主义法制，使民主制度化、法律化，使这种制度和法律具有稳定性、连续性和极大的权威，做到有法可依、有法必依、执法必严、违法必究”。全会还要求，“检察机关和司法机关要保持应有的独立性；要忠实于法律和制度，忠实于人民利益，忠实于事实真相；要保证人民在自己的法律面前人人平等，不允许任何人有超于法律之上的特权”。1979年，五届全国人大二次会议通过选举法、刑法、刑事诉讼法、地方组织法等七部法律。党中央还就此专门发出《关于坚决保证刑法、刑事诉讼法切实实施的指示》，指出“刑法、刑事诉讼法同全国人民每天的切身利益有密切关系，它们能否严格执行，是衡量我国是否实行社会主义法治的重要标志，因此也更为广大群众所密切注意。各级党委、党的各级领导干部和全体党员，都要充分认识到，这是一个直接关系到党和国家信誉的大问题”。

改革开放之初的社会主义法制建设主要表现为恢复和加强立法工作、努力实现社会主义各项事业有法可依。其中最大贡献就是颁布了“八二宪法”。1982 年 12 月 4 日，五届全国人大五次会议通过“八二宪法”，把党的十一届三中全会以来的大政方针和成功经验以国家根本大法的形式确定和巩固下来，规定“国家维护社会主义法制的统一和尊严”。关于经济建设与法治建设的关系，邓小平提出“一手抓建设，一手抓法制”“两手都要抓”的方针，将社会主义法制建设与经济建设紧密结合起来。这一时期，还确立了社会主义法制的“十六字”方针和法律面前人人平等原则，即“有法可依，有法必依，执法必严，违法必究，在法律面前人人平等”。

三是 1997 至 2012 年，中国特色社会主义法治的正式提出后的法律规范建设迈上的新台阶。

一个标志的事件就是，1997 年党的十五大正式提出“依法治国，建设社会主义法治国家”。这标志着中国共产党关于社会主义法治问题的认识实现了从“社会主义法制”向“中国特色社会主义法治”的重大转变。1999 年，九届全国人大二次会议将“依法治国，建设社会主义法治国家”基本方略以宪法形式确定下来。

2002 年，党的十六大提出“坚持依法执政，实施党对国家和社会的领导”。2004 年，党的十六届四中全会明确指出“依法执政是新的历史条件下党执政的一个基本方式”，并且从领导立法、带头守法、保证执法等方面对党依法执政的基本内涵进行系统阐述。2005 年，“民主法治”被确定为社会主义和谐社会的首要标志。2006 年，党的十六届六中全会把“民主法制更加完善、依法治国基本方略得到全面落实、人民权益得到切实尊重和保障”作为构建社会主义和谐社会的九大目标任务之首。2007 年，党的十七大强调“全面落实依法治国基本方略，加快建设社会主义法治国家”。2008 年，《中国的法治建设》白皮书回顾总结了新中国成立以来特别是改革开放 30 年以来中国法治建设所取得的令人瞩目的成就。这一法治中国建设的心路历程，彰显了法治建设的巨大成就，这一时期最大贡献就是基本健全现代国家管理、建设、社会运行、人民生活等相关的所有法律法规体系，建构起现代化的全面的法律规范系统。

四是 2012 至今，是全面依法治国时代的中国特色社会主义法治建设时期。

2012 年，党的十八大报告继续强调“法治是治国理政的基本方式”“坚

持党的领导、人民当家作主、依法治国有机统一”，提出“加快建设社会主义法治国家，更加注重发挥法治在国家治理和社会管理中的重要作用”，而且着重要求“提高领导干部运用法治思维和法治方式深化改革、推动发展、化解矛盾、维护稳定能力”。2013年，党的十八届三中全会作出《中共中央关于全面深化改革若干重大问题的决定》，提出“推进法治中国建设”的战略目标，提出“坚持依法治国、依法执政、依法行政共同推进，坚持法治国家、法治政府、法治社会一体建设”，而且专门就司法工作提出“维护人民权益，让人民群众在每一个司法案件中都感受到公平正义”。

2014年，党的十八届四中全会专门作出《中共中央关于推进全面依法治国若干重大问题的决定》。这是在党的历史上第一次以中央全会的高规格形式对法治建设进行研究和部署。该决定旗帜鲜明提出“法治是治国理政不可或缺的重要手段。全面推进依法治国是关系党执政兴国的根本性问题”，要“坚定不移走中国特色社会主义法治道路”。这次全会还专门强调“我国正处于社会主义初级阶段，全面建成小康社会进入决胜阶段，改革进入攻坚期和深水区，国际形势复杂多变，我们党面对的改革发展稳定任务之重前所未有、矛盾风险挑战之多前所未有，依法治国在党和国家工作全局中的地位更加突出、作用更加重大”。以党的十八届四中全会为标志，中国特色社会主义法治进入一个全方位深化、拓展与升级的历史时期。

2015年，党的十八届五中全会提出创新、协调、绿色、开放、共享的发展理念，强调实现全面建成小康社会奋斗目标，推动经济社会持续健康发展，必须遵循“坚持依法治国”的原则，要求“运用法治思维和法治方式推动发展，全面提高党依据宪法法律治国理政、依据党内法规管党治党的能力和水平”。2016年，党的十八届六中全会全面分析了从严治党面临的形势和任务，提出办好中国的事情，关键在党，关键在党要管党、从严治党，并由此引出依法治国与从严治党的历史性命题。

2017年，党的十九大报告高度评价了十八大以来我国法治建设的历史性成就。在报告当中，“依法治国”一词总共出现了19次，“法治”一词出现了33次。这足以凸显“依法治国”在党中央治国理政战略布局中的重要地位，深刻反映出法治已成为党执政兴国不可或缺的基本主题。党的十九大报告庄重宣告“中国特色社会主义进入新时代”，深刻指出我国社会主要矛盾已经转化为“人民日益增长的美好生活需要和不平衡不充分的发展之间的矛盾”。这是关于我国基本国情与未来发展定位的新论断，将直接影响法治在党的事业及国家与社会生活中的地位与作用。当下，中国社会不仅要满足人民更高质量的物质需求，而且包括更多的获得感、幸福感、安全感及民主、法治、公平、正义、尊严、权利、当家作主等精神需求。法治建设领域的深层次矛盾，主要体现为人民群众对社会公平正义的需求与法治发展不平衡不充分之间的矛盾。这些都启示我们，全社会对公平正义的渴望比以往任何时候都更加强烈。中国共产党除了有领导与实现经济飞速发展的重大任务之外，还肩负着在世界上最大的社会主义国家实现社会公平正义的历史使命。

在建设社会主义现代化国家的进程中，法治是引领经济持续健康发展和鼓励自主创新的有力保障，是化解社会矛盾和维护社会稳定的基本方式，也是增进政府与民众及民众与民众之间社会信任的前提要件。一言以蔽之，无论是实现“两个一百年”奋斗目标，还是实现中华民族伟大复兴的中国梦，全面依法治国既是重要内容，又是基本保障。进入新时代以来，依法治国被放置在“五位一体”总体布局和“四个全面”战略布局之中。科学立法、严格执法、公正司法、全民守法的各方面工作有了明确定调和全面部署。以习近平同志为核心的党中央适应时代变化和实践要求，提出了坚持党的领导是社会主义法治的根本要求、建设中国特色社会主义法治体系等一系列新论断和新观点，从而开创了中国特色社会主义法治的新时代。

进入新时代，法治中国建设的最大贡献，是将法治确定为整个国家、社会和人民的基本价值追求，将依法治国推进到一个全面依法治国的新高度，将依法治国放置在国家治理现代化、中国式现代化、中华民族伟大复兴等更为广阔、更为长远、更有高度的层面来推动。

回望当代中国的法治历史，展现当代中国法治化建设的历史行进主要体现为以下几个方面：一是始终把法制、法治建设作为首位，作为国家治理现代化、国家现代化的角度来推动。二是始终坚持法治工作在党的领导下推动，确保社会主义法制建设、法治建设做到坚持一个中心、两个基本点的基本路线，保证前行的社会主义方向。三是始终抓好法治执行这个中心环节，以执法、司法公平为核心理念，力求使执法司法为民的根本理念

不变。四是每一个时代的法治建设都是始终坚持问题导向，紧扣时代需要，及时制定和颁布相关的法律，依法治理相关问题，彰显了我们党对依法治理的坚持和贯彻。五是始终坚持法治为民的核心价值理念，从法律的制定出台到法律的执行、守法的要求，无不体现了党执政为民、立党为公的本质特征。六是始终将法治建设与国家的各项建设事业紧密结合，力求以中国式法治现代化发展助推中国式现代化、中华民族伟大复兴。

第二节　高校校园文化育人法治化的基本理论研究

在研究和阐释法治化理论与法治化发展的历史基础上，这一部分将运用法治理论和教育理论，研究阐释和建构新时代高校校园文化育人法治化的相关理论问题。

一、高等教育法治化的基本理论和中国历史的研究和阐释

当代中国高等教育发展取得了很多的成就，从学生人数、学生成果、教师人数、教师成果、学校数目与学校成果等方面都取得辉煌的成就，展现了中国式现代化发展的伟大魅力。这背后有一个强大的力量在推动，那就是党领导下的法治中国建设在高等教育领域中的不断前行，不断供给，促使我国高等教育走上了现代法治化的发展轨道，逐步建构完善并提高现代大学的治理体系和治理能力。

1. 教育法治化的基本理论阐释

教育法治化是当代中国法治化在教育领域中的体现和发展，是法治化应用实践的体现，也是教育现代化发展的体现和重要标志、重要保障。

按照依法治国的四个环节，我们可以将教育法治化系统解构为教育立法、教育执法、教育司法和教育守法等四个环节。按照教育的层次来划分，教育法治化主要包括学前教育法治化、小学教育法治化、中学教育法治化、高等教育法治化等。按照学科教育来划分，教育法治化可以分为自然科学教育法治化、社会科学教育法治化、人文科学教育法治化等，或者

德育法治化、体育教育法治化、美育教育法治化、劳动教育法治化、智力教育法治化等。按照教育所在地区来划分，教育法治化的地方实践在各地开展，成为祖国大地法治化文明发展的靓丽风景线。

2. 当代中国法治化的高等教育历史

当代中国法治化在高等教育的历史表现，主要体现为不同时期的教育法的颁布与实行，不同教育主体的法治行为，不同教育问题的法治化处理及不同教育主体的法治文明建设等。按照新中国的历史发展脉络，结合重大的高等教育法治事件，运用历史制度主义的理论，当代中国高等教育法治化的历史进程大致可以分为四个阶段：一是改革开放前，二是改革开放后到 1998 年，三是 1999 至 2009 年，四是 2010 年至今。

第一阶段，改革开放前的高等教育法治化的初创时期。中国高等教育界一般将 1977 年作为中国高等教育发展的一个重要节点，原因主要在于 1977 年时我国正式恢复高校统一招生考试制度。在这一阶段早期，新中国高等教育对旧有的高等院校进行接收改造，依照苏联模式建构起中国的高等教育体系。与此同时，高等教育的法治化也沿着这条路线演进，新中国正式成立前的《中国人民政治协商会议共同纲领》以及 1954 年《中华人民共和国宪法》(以下简称《宪法》)，为新中国成立初期的中国高等教育事业奠定了法治基础，提供了宪法保障。之后，在此基础上，我国先后颁布了《关于高等学校领导关系的决定》《关于实施高等学校课程改革的决定》《高等学校暂行规程》《关于改革学制的决定》《关于一九五三年全国高等学校院系调整的计划》等一系列法律法规，有力地促进了中国高等教育的法治化。数据显示，这一阶段，我国共颁布行政法规 20 项，部门规章 27 项，党内法规 1 项，为中国高等教育的法治化道路奠定了初步基础，也为我国高考恢复招生后高等教育法律法规的制定，积累了法治经验。

第二阶段，改革开放后到 1998 年的高等教育法治化恢复发展阶段。这一阶段开始的标志性事件是 1978 年党的十一届三中全会和全国科学大会，高等教育的重要性再次凸显出来，高等教育进入快速的恢复发展阶段，高等教育规模不断扩大，体制机制改革不断推进。到 1997 年时，我国普通高校达 1 022 所，普通高校在校生 340 余万人，普通高校研究生接近 20 万人，教职工 102 万人，专职教师 40 万人，取得了令人瞩目的巨大成就。同

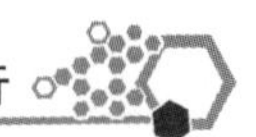

时，这一时期的巨大成就是在法治路径下开展的，又得到了高等教育法制的有力保障。这一时期，1982 年《宪法》的通过为高等教育提供了根本依据，随之《中华人民共和国教师法》《中华人民共和国教育法》和《中华人民共和国职业教育法》相继出台，高等教育主要涉及的领域初步实现了法治化，这也为 1998 年《中华人民共和国高等教育法》(以下简称《高等教育法》)的制定积累了丰富的经验。在中国高等教育的恢复发展阶段，高等教育的法治化同样成就巨大，不仅是在立法领域，高等教育的执法、监督、普法等法制体系也渐次形成，迈出了法治化的坚实步伐。

第三阶段，1999 至 2009 年是高等法治化的不断完善时期。这一阶段是高等教育的迅速扩张时期，标志性事件是 1999 年 1 月，国务院批转教育部制定《面向 21 世纪教育振兴行动计划》，明确提出到 2010 年高等教育毛入学率要达到 15%，在这一行动计划的带动下，中国高等学校迅速扩大招生规模，高等教育的毛入学率在较短时期内就得到大幅提高，毛入学率在 2002 年达到了 15%。到 2009 年，全国共有普通高等学校和成人高等学校 2 689 所，各类高等教育总规模达到 2 979 万人，高等教育毛入学率达到 24. 2%。据不完全统计，这一时期，我国共颁布行政法规 11 项，部门规章 1 748 项，党内法规 9 项。随着中国高等教育的迅速大众化，接受高等教育渐渐成为人们的生活方式，高等教育所涉及的社会生活领域越来越多，这也就要求高等教育法律法规的建设要及时跟进，及时形成完善的高等教育法律体系。

第四个阶段，2009 年至今是高等法治化的稳步发展和全面推进的新时期。在中国高等教育高速发展的过程中，世界其他国家的高等教育已经开始了质量提升的转向。中国高等教育的质量意识也是在中国高等教育高速发展的过程中不断建立起来的。在高等教育领域，2009 年开始的合格评估，目标所指正是高等教育的质量问题。在国家层面，高等教育走质量提升道路的标志性事件则是 2010 年 7 月 29 日教育部颁发《国家中长期教育改革和发展规划纲要(2010—2020 年)》，提出到 2020 年高等教育毛入学率达 40%的目标，强调提高人才培养质量、建立高校分类体系，实行分类管理，加快建设一流大学和一流学科。这一阶段中，我国高等教育的规模虽然继续稳步扩大，但是，质量提升已经成为高等教育的核心任务，质量意识、质量革命、质量中国成为中国高等教育发展的核心命题。据不完全统计，我国共颁布法律 4 项，行政法规 6 项，部门规章 500 项，党内法规 14 项。其中，诸多法律法规涉及高等教育的质量提升和相关具体举措，尤其需要指出的是，党的十九大确定中国进入新时代后，中国高等教育强起来已经成为高等教育的时代主题，而做强中国高等教育，内涵式发展是必然方向，法治化则是基本保障。

经过以上的高等教育法治化历程，目前我国基本建成了依法治国在高等教育中的良好局面，极大推动高等教育的法治化发展、现代化发展。

二、加强高校校园文化育人法治化的内涵

高校校园文化育人是一项系统工程，由教育理念、教育主体、教育客体、教育本体、教育介体、教育保障与督导等方面的要素构成。推进高校校园文化育人法治化，不应仅是文化育人手段的法治化，还应包括文化育人主体的法治化、文化育人内容的法治化、文化客体的法治化、文化育人保障措施的法治化、文化育人督导检查的法治化等方面的内容。因此，高校校园文化育人法治化的内涵是丰富多彩的，包括诸多的内容，不能以偏概全。

从依法治国的角度来划分，可以按照依法治国的环节来解构校园文化育人法治化的基本内涵和要素。一是高校校园文化育人的立法问题。二是高校校园文化育人的执法问题。三是高校校园文化育人的司法问题。四是高校校园文化育人的守法问题。因此，要推进高校校园文化育人法治化运行，至少应该围绕这几个环节开展工作。

三、加强高校校园文化育人法治化的原因

新时代推进高校校园文化育人法治化运行，主要是基于四个层面的原因考量：一是国家层面上，全面依法治国战略的大力推进，需要高校校园文化育人法治化运行。二是高校层面上，依法治校的现代大学运行与治理模式也要求高校校园文化育人法治化运行。三是教育层面上，教育本身法治化发展，也需要包括校园文化育人工作在内的每一项育人活动都应依法

运行，不断提升合法性。四是学生层面上，提升大学生法治素养和法治维权能力，需要加大校园文化育人的法治化。具体说来，这些方面的理由可以做如下阐释：

国家层面上，全面依法治国战略的推进与依法治教的实施，需要加强校园文化育人法治化推进。党的十八届四中全会专题部署安排全面依法治国的重大战略，开启了全面依法治国的伟大历程，从此我国各领域、各行业、各地区、各组织都走上了全面法治化的道路。作为中国现代化事业的基础性工程，教育事业迈出了豪壮的步伐，开启全面依法治教的伟大事业。高校作为教育领域的重要阵地，大踏步走上全面依法治理高等教育的时代，要求校内各项工作，如教学工作、学生工作、科研工作、文化育人工作、劳动育人、实践育人等，都必然要走好全面法治化的道路。在这样的时代背景下，高校校园文化育人也必须要走上全新的法治化发展轨道。

高校层面上，依法治校及校园文化中法治文化的不足，需要加强高校校园文化育人的法治化建设。依法治校作为全面依法治国的重要组成部分，需要将学校各项事业、各项问题都纳入法治化的治理轨道来推动。校园文化中，往往关注专业性文化的建设，对法治文化这类政治文化的建设注重不足。这两方面都要求新时代高校校园文化育人必须要坚定选择法治化轨道，走上全面依法运行的轨道。

教育层面上，校园文化育人本身法治化的不理想，决定了有必要开展法治化的进程。放眼当下高校推进法治化的过程，对校园文化育人工作的法治化建设重视程度不够，要将法治学校建设作为依法治教的重点工作，发挥“五大功能”，稳步推进法治学校建设。目前推进校园文化育人法治化相关问题具体体现为，专门的文化育人实施细则的制定的自觉性主动性不强，实际上成文的规章制度供给不足，文化育人过程中的依法运行监管不力度不够强大，主要体现为对文化育人的法治监管缺位。从内容上讲，高校校园文化育人法治化的不足，主要体现为对大学生法治精神、法治思维、法治素养、法治文化、法治能力等方面的培养滞后。要将校园法治文化建设作为依法治校的重点工作，稳步推进法治学校建设。

学生层面上，大学生的全面成长、合法权益保障和法治素养不太高等，需要加强新时代高校校园文化育人的法治化建设。新时代大学生全面发展和成长，是培养时代新人的一个主要发展方向。大学生全面发展，意味着不仅仅是专业文化知识和能力的提升，还有作为一个现代公民的政治素养的提升。现代社会背景下，公民的现代政治素养主要就是法治文化素养。这就要高校文化育人的各项工作都要注重大学生法治素养的培养。大学生对美好生活的期待，成为新时代大学生的发展动力，这些期待的满足需要保障相应的权益，这也需要加强新时代校园文化育人法治化建设。

第三节　当前高校校园文化育人法治化的现状

根据以上的研究理论，以笔者所在高校为主要调研对象，附带选择其他几所高校开展研究，按照系统论点的分析框架，当下高校校园文化育人法治化建设情况可以从主体的法治素养与法治教育素养、学生的法治素养、教育手段的法治化建设、教育内容的法治化建设、教育保障与督导的法治化建设等方面进行解读和阐释。

一、校园文化育人教育主体的法治化素养情况调研

这一部分，主要对主管校园文化的建设者和推进者进行调研。

校园文化育人主体法治素养具有诸多的重要性。推进校园文化育人法治化，首先需要文化育人主体自身要实现法治化。推进文化育人主体自身的法治化，这不仅对校园文化育人工作有高质量推进作用，还对文化育人主体自身的专业成长、职业发展等方面都具有巨大的倒逼作用。

高校校园文化育人主体法治素养具有丰富的内容。法治素养是一个庞大的系统，从知识层面上讲，除了普通的宪法、民法、行政法、刑法等法律外，还需要熟悉掌握专业法律，比如教育法、文化法及学生各个行业对应的法律。从能力层面上讲，法治素养包括会运用法律来开展工作。

根据以上这些法治素养的要求，我们调研了高校校园文化育人工作中的文化育人主体的素养情况。调研发现，开展校园文化育人工作的老师们，除了法律专业的老师的法治素养高一点外，其余的工作人员法治素养处于一般层次，谈不上专业性的把握。同时，这些工作人员对与学生成长

发展相关的专业法律法规的把握情况也不理想，这与校园文化育人工作法治化的要求还有很大一段距离。

二、校园文化育人教育客体的法治化素养情况调研

这一部分，主要调研学生的现有法治素养情况。推动校园文化育人法治化工作，必须要有一个具有法治素养的受众群体。青年学生法治素养本身应该是不错的，能够为校园文化育人工作法治化开展提供一个很好的基础，同时也为青年学生自身成长发展提供一个很好的保障。但是调研发现，很多青年学生没有经过专门的法律学习，有的可能就是思政课中的法治教育渗透，有的可能就是学生工作中的法治教育，而作为一门课程来对大学生的法治素养进行培养，这方面显得非常缺失。这是摆在当前校园文化育人工作法治化必须要迈过的一道坎，也是一个必须要解决的重大问题。

三、校园文化育人教育实施的法治化情况调研

这一部分，主要调研文化育人实施中的法治手段采用情况。文化育人主体的法治素养决定了文化育人法治化的推动，文化育人客体的法治素养同样影响校园文化育人法治化的推进。除了这两个方面的因素外，高校校园文化育人手段的法治化也是一个非常关键的因素。法治化育人手段内涵是非常丰富的，其中根本的就是遵循教育法、教师法及学生管理相关规定的法律法规开展文化育人工作和相关活动，当然也包括要遵守学校制定的各个方面的教育规定及教育场所、教育平台的管理规定。调研发现，整体看来，高校校园文化育人工作的开展是在无声无息中按照党和国家法律法规开展工作，但是对每一个环节的法治化建设实施显得不够精细，甚至有些粗略，主要体现为法治化的考量方面做得滞后。另外比较欠缺的就是，开展各类法治活动不足，导致文化育人融入法治活动中显得非常生硬。

四、校园文化育人教育内容的法治化情况调研

这一部分，主要是调研校园文化建设的法治文化建设情况，涉及研究

高校校园文化育人法治化中内容的法治化建设情况开展情况。经过调研发现，现有的校园文化育人开展中，从育人内容上看，主要集中在考试时段的考试文化教育、毕业时段的就业职业及事业文化教育、新生入学时段的入学文化教育、平时的专业宣传教育和各类主题教育活动、学术各类活动文化的教育及一些基本的校级校规的教育等。从这里可以看出，专门的法治教育内容显得有些缺位，法治教育活动一是在每年 12 月 4 日宪法日前后一周左右开展，其余常态化规范化制度化的法治教育严重不足，这样带来的后果必然是法治教育长效化不足。究其原因，笔者以为是高校专门化的法治课程开设不足和法治化教育活动的常态化不够。

五、校园文化育人教育的法治保障和督导措施情况调研

这一部分，主要是调研校园文化育人中的相应法治保障和督导措施情况。推动校园文化育人法治化前行，不仅是需要前面所讲的教育主体的法治素养、教育客体的法治素养、教育方法的法治化行进、教育内容的法治化充实等条件，还需要相应的法制保障条件和必要督导条件。

要真正推动高校校园文化育人法治化前行，必须要有扎实的法治保障措施。这些法治保障措施，主要包括校园文化的法治文化建设。法治文化建设，应该包括物质层面的法治文化建设、制度层面的法治化文化建设、思想层面的法治文化建设、行为层面的法治文化建设等。这些法治文化都是校园文化育人中的法治文化体系需要的主要组成部分，也是校园文化育人法治化的主要保障内容和措施。结合当下高校校园文化育人法治化前行中的法治保障措施调研结果，高校中能够展现法治文化的物质实体基本没有，反映出法治文化的物质层面建设非常不足。高校中制度层面的法治文化建设，主要体现为学校各个方面的制度建设，关于教师、学生、教学、科研、后勤、对外交往等方面的制度已经非常多，可见制度形态的法治文化建设做得不错。高校中思想层面的法治文化建设，主要体现为全校师生的法治思想、法治理论、法治观念、法治意识等方面的发展与建设情况，也表现为学校开展法治文化的宣传活动开展情况。调研发现，高校师生具备一般的法律素养，但是完整的法治理论、法治观念掌握得不够，彰显了系统化的法治理论知识学习缺乏。行为层面的法治文化，主要体现为教师

学生行为形态的法治文化建设情况，这方面的建设发展往往体现为教师学生各种行为的法治化运行，调研发现，整体看来，教师和学生日常行为处处遵循国家的相关法规和学校的各项规定，力求一言一行法治化运行。

除以上法治文化层面的保障措施外，还需要人力、物力和财力的投入。高校校园文化育人法治化开展，需要一定的人力供给、物质的建设和财力投入。其中，人力投入，主要是体现在，高校在配置校园文化育人法治化工作队伍中的工作开展情况；物力的投入，主要是体现在，高校在推进校园文化育人法治化工作中，必要的法治化设施需要适当进行建设，要提供一种可见的法治文化建设场景。财力投入，主要是体现在开展高校校园育人法治化建设需要的必要开支费用，调研发现，在财力投入方面，高校投向校园文化建设的费用不都是很充足，各个学校的情况不一样，财力雄厚的高校投入多，财力不雄厚的学校投入相对少一些。

除了文化层面和物质层面的保障外，专门的校园文化育人法治化建设和推进的制度保障也是非常重要的，因为所有问题，最后要落实必须要制度来推动，没有制度的推动，很可能是“一阵风”的活动。因此，从制度角度考察高校校园文化育人法治化建设工作显得很有必要。法治化建设保障，应该包括高校校园文化育人各个环节的制度建设与制度安排。调研发现，很多高校对校园文化育人有专门的文件出台，但是对校园文化育人的各个环节、各个场域、各个群体开展的专项规定供给有些缺位。这就导致校园文化育人存在很大的弹性空间，随意性大。虽然符合文化育人的柔性特征，但是再柔性化开展，也还是需要一定的制度支撑与规范。

除了保障的措施外，推动高校校园文化育人法治化运行，还需要规范的、持久的督导体系和机制来支撑。一是要建构一套新时代高校校园文化育人法治化运行的评价体系。二是要建构一套新时代高校校园文化育人法治化运行的督导机制。按照这两个方面开展调研，一般高校往往在教学、科研、学生工作、校园文化等方面，按照党和国家及教育部的要求，制定本校的质量评价体系，但是对校园文化育人法治化运行的专项评价体系缺乏，因而对校园文化育人法治化开展情况的引导规范不得力。另外，还没有建构起一套完整的、立体化的校园文化建设与运行督导体系，导致对校园文化育人法治化运行的专项督导体系建构滞后，这就弱化了高校校园文化育人法治化运行的外在推动力。

总之，当下推进高校校园文化育人法治化运行中，在主体层面、客体层面、内容层面、手段层面、保障和督导层面等都还存在一些问题，有些方面甚至存在严重不足的情况，需要好好改正。这些不足，为现在和今后如何推动新时代高校校园文化育人法治化高质量发展提供了前行的突破口和动力。

第四节　新时代加强高校校园文化育人法治化的建设对策

当下校园文化育人法治化中存在的不足，为新时代高校校园文化育人法治化的加强提供了针对性的解决可能和方向。根据前面建构的研究框架，加强新时代高校校园文化育人法治化建设可以从文化育人手段的法治化、文化育人主体的法治化、文化育人内容的法治化、文化客体的法治化、文化育人保障措施的法治化、文化育人督导检查的法治化等方面构思可能的路径和具体对策。

一、全力提升校园文化育人主体的法治素养和法治能力，夯实高校校园文化育人的法治型主体力量

推动高校校园文化育人法治化发展，一个基本的主体性条件就是育人主体的法治化和法治育人能力的提升。这两个方面缺一不可，都非常重要。前者是前提和基础，后者是延伸和拓展。在全面依法治国、执教视域下推进高校校园文化育人法治化发展，需要抓好这两项工作。对照当下校园文化育人法治化过程中存在的主体性方面的具体问题，高校应该从依法治国执教、文化强国、教师教育、文化育人等角度探索思考和尝试，推进文化育人主体的法治素养和育人能力。

一是加强校园文化育人法治化中的教师队伍法治素养的培养和提升。校园文化育人的内容和要求是多个方面的，面对的对象也是多个专业的，这就决定了推动校园文化育人法治化运行这项工作需要的工作人员的法治

素养是多方面的。但从法治素养提升体系的内在构成来说，要通过自学和集中培训的形式，加强校园文化育人工作的老师们的法治意识、法治观念、法治思想、法治理论、法治思维、法治能力等方面的提升，这些都是我们要努力提高的地方，不能仅局限于一般的法治思维、法治能力等某一个方面，要进行整体规划和系统推进、统筹兼顾，当然在实际培养过程还是要注重各种法治素养要素的先后。此外，要注重对文化育人工作人员专项的法律教育培养，除了基本的教育法、文化法、国家安全法、教师法、学生管理与教育规定外，还需要对学生各个专业所在行业的法律法规有一定了解和把握，这样才能做好校园文化育人法治化中法治教育的针对性提升。

二是加强校园文化育人法治化开展的教师队伍的教育能力提升。在进行法治素养培育的同时，还要注重对从事校园文化育人法治化工作的教育者能力的提高，这就需要从法治教育能力提升方面着手开展。当然在开展这项教师教育技能的同时，可以借鉴专业教师教育能力培养和提升的办法开展培训工作。除了理论的培训提高，更多应该采用教育家们主张的“做中学”的培养方式。因此，在开展提升校园文化育人法治化中的教师们的法治教育能力时，应坚持问题导向、目标导向和结果导向三者结合，针对法治教育能力本身存在的问题、法治教育中本身需要解决的问题及要实现的近期目标、长期目标等，通过自学、专题讲座培训、外出培训、实地实训培训等方式，大力提高所有从事校园文化育人工作的教师们的法治教育能力。

二、加强校园文化育人系统中的法治文化教育宣传，不断提升高校校园文化育人的法治品质

要提高校园文化育人法治化水平，一个内在关键的东西，就是要提高校园文化育人内容的法治文化含量，不能进行一般的专业文化、革命文化、优秀传统文化的宣传教育，应该进行更多有重点的法治文化宣传教育。这就要求，新时代高校校园文化育人法治化推进中，应从教育内容上做出相应的调整，更加注重法治文化的宣传教育。这里就需要处理校园文

化育人的内容安排。通常情况下，高校校园文化育人的内容，主要就是开展思想政治文化教育，也要对中华优秀传统文化及革命文化进行宣传教育。在全面依法治国战略大力推进的今天，在现代政治文明飞速发展的今天，高校校园文化育人应该紧跟时代步伐、紧跟国家现代化和法治化建设的需要，积极扩大法治文化内容的充实，加大对广大青年学生进行现代法治文化教育，为高校培养新时代新青年的明大德、立大志、成大才、担大任奠定坚实的法治基础。

推进高校校园文化育人法治化运行，不仅需要在文化育人内容的法治化建设上进行研究，还需要在文化育人的方式上进行改革创新。根据文化育人的特征和大学生受教育的情况，高校在探索校园文化育人方式的时候应该积极汲取沉浸式教育孕育的理论资源和方法资源，在全面深化教育改革的大潮中大胆使用沉浸式教育方法开展法治教育。一是充分利用好互联网、人工智能等现代科技，建构好开展法治沉浸式教育需要的技术支持系统。二是对标学生需要，对各项法治化进行生活化、可视化、场景化的处理，以便寓教于乐，不断增强校园文化育人中法治教育的吸引力和感染力。三是加强过程管理，注重做好法治教育前、中和后各个环节的有效衔接安排，让校园文化育人中沉浸式法治文化教育有条不紊地开展与运行起来。四是加强法治教育过程中的师生、学生之间互动交流的形式多样化，让法治教育在交流互动中得到提升，让学生的法治素养能力在交流分享中得到锻炼和提高。五是加强目标管理，注重对校园文化育人中法治教育的整个过程进行有的放矢的目标考核，形成一种长效的考核机制，以此推动高校校园文化育人中法治教育常态化、规范化、制度化、长效化开展，坚决避免“一阵风”式的教育运动。

三、加强校园文化育人的法治保障建设和法治督导建设，增强高校校园文化育人的推动力

高质量推进校园文化育人法治化运行，必须有强大的后勤保障和持久的督导体系机制支撑引领。因此，在新时代高校校园文化育人法治化运行过程中，应该大力做好法治化运行的各项保障供给建设和评估督导体系

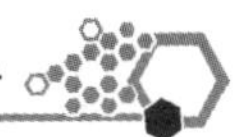

建设。

一是针对现有校园文化育人法治化中后勤保障存在的不足，加大各方面投入，夯实校园文化育人法治化的保障建设和供给。首先，学校层面应当加大对校园文化育人工作、文化育人工作法治化的开展所必要的人力、物力、财力的倾斜，建构和执行校园文化育人法治化建设与运行的专项支持体系，力求保障新时代高校校园文化育人法治化所需要的人力、物力和财力支持。其次，要加强学校校园法治文化的各个要素的建设，注重物质层面的法治文化建设，充分塑造各种能够展现法治文化的实体；注重制度层面的法治文化建设，将校园文化育人的各个环节和学校的各种工作进行法治意义上的制度建设；注重思想层面的法治文化建设，大力进行开展各种法治文化的讲坛；注重行为层面的法治文化建设，大力开展学生一言一行的法治化建设，让所有学生的言行符合法律法规和校纪校规。

二是加强督导建设和执行，为新时代高校校园文化育人法治化运行提供持久前行的规范和质量控制。首先，根据校园文化育人法治化建设的需要，建构一套完整的、契合本校实际的新时代校园文化育人工作法治化运行和建设的质量评价体系，以此形成对校园文化育人法治化运行建设的持久的引领规范。其次，根据校园文化育人法治化管理引导的需要，建构起新时代校园文化育人法治化的督导体系，要建设好包括督导机构、督导分工、督导运行机制等方面的具体环节，以此形成对校园文化育人法治化运行的持久督导引领机制。

参考文献

[1] 郑卫丽. 以文化人：大学文化育人功能研究[M]. 北京：经济管理出版社，2021.

[2] 王振. 改革开放以来高校文化育人的回顾与思考[J]. 思想理论教育，2018(12)：90-95.

[3] 张贵礼，程华东. 新时代高校文化育人的逻辑理路和实践进路[J]. 学校党建与思想教育，2023(4)：90-93.

[4] 刘燕，李楠. 新时代高校红色文化育人的价值意蕴、现实困境及优化路径[J]. 国家教育行政学院学报，2023(2)：89-95.

[5] 漆勇政. 新时代高校微文化育人探讨[J]. 学校党建与思想教育，2021(21)：89-91.

[6] 李凯，刘贵占. 新时代高校网络文化育人的探索与实践[J]. 思想理论教育导刊，2019(11)：144-147.

[7] 梁罡. 红色文化融入高校"三全育人"体系的价值维度与实践向度[J]. 南京航空航天大学学报(社会科学版)，2019(1)：104-108.

[8] 张自慧. 象牙塔之魂：核心价值观与大学文化[M]. 上海：上海人民出版社，2017.

[9] 严敏，邓欢. 试析高校校园文化育人体系的优化[J]. 学校党建与思想教育，2021(16)：35-37.

[10] 洪娟. 高职院校文化育人共同体的实践路径与探索[J]. 继续教育研究，2021(06)：129-131.

[11] 张成飞. 中华优秀传统文化与高职院校文化育人融合实践路径探索[J]. 教育与职业，2022(12)：108-111.

[12] 刘彩琴. 职业本科育人文化的内涵辨析、逻辑向度与体系构建[J]. 教育与职业，2022(07)：55-60.

[13] 张峻峰. 推进新时代高校文化育人的逻辑进路[J]. 中国高等教育，2021(Z3)：64-65.

[14] 王迪. 人工智能技术赋能红色文化资源育人路径探析[J]. 当代贵州，2022(29)：72-73.

[15] 梁兴连. “互联网+传统文化”育人空间建设的基本框架[J]. 理论观察，2022(01)：121-124.

[16] 张海燕，周海涛. 人工智能与教学的交集：历程检视与路向选择[J]. 当代教育科学，2020(05)：20-24.

[17] 王鹏，王丽斯，赵勇. 全媒体时代高校文化育人对策研究[J]. 石家庄铁路职业技术学院学报，2020，19(01)：111-115.

[18] 马钰. 新中国70年高校法治教育的回顾和展望[J]. 当代教育科学，2020(03)：92-96.

[19] 杨松菊，易明. 高校法治教育生活化的问题与对策探析[J]. 当代教育理论与实践，2018，10(06)：120-125.

[20] 刘立功. 依法治校理念下的高校法治文化建设探讨[J]. 学校党建与思想教育，2017，(12)：53-55.

[21] 张蕊. 关于高校法治文化建设的几点思考[J]. 人民论坛，2012(23)：122-123.